Ni Putes Ni Soumises

Fadela Amara
Avec la collaboration
de Sylvia Zappi

Ni Putes Ni Soumises

Postface inédite de l'auteure

La Découverte / Poche
9 *bis*, rue Abel-Hovelacque
75013 Paris

Cet ouvrage a été précédemment publié en 2003 aux Éditions La Découverte **dans la** collection « Cahiers libres ».

ISBN 978-2-7071-4458-4

Si vous désirez être tenu régulièrement informé de nos parutions, il vous suffit d'envoyer vos nom et adresse aux Éditions La Découverte, 9 *bis*, rue Abel-Hovelacque, 75013 Paris. Vous recevrez gratuitement notre bulletin trimestriel ***À La Découverte***. Vous pouvez également nous contacter sur notre site **www.editionsladecouverte.fr.**

Prologue

Jamais je n'aurais pensé qu'on pourrait y arriver. Réussir à rassembler, le 8 mars 2003, dans les rues de Paris, plus de 30 000 personnes, dont la plupart étaient venues des banlieues, derrière notre slogan « Ni Putes Ni Soumises », même en rêve je n'aurais pas osé.

Cela faisait des années que les associations féministes peinaient à mobiliser autour de leurs thèmes traditionnels. Et voilà que nous, une poignée de filles des cités, sans grande expérience politique, nous arrivions à fédérer tout ce que la société française compte de partis, de syndicats, d'associations de défense des femmes et d'organisations diverses ! L'opinion publique a découvert d'un seul coup ces femmes des cités qui manifestaient pour dénoncer les violences quotidiennes dont elles sont l'objet. Des visages de femmes déterminées et fières d'avoir su lever le tabou d'un sexisme nouveau.

Nous étions huit marcheurs au départ, six filles et deux garçons, partis cinq semaines auparavant, dans l'indifférence et la méfiance, pour dénoncer les tournantes et les violences masculines. Nous avons sillonné les villes françaises, en vingt-trois étapes, en multipliant les conférences de presse, les rencontres avec les élus, les débats avec les habitants des cités, pour mettre en garde contre ce mal qui gangrenait les banlieues.

Deux événements majeurs avaient eu lieu quelques mois plus tôt, qui nous avaient incités à organiser cette marche. Tout d'abord ce drame horrible, survenu le 4 octobre 2002 : le meurtre de Sohane, une jeune fille de dix-huit ans, brûlée vive dans une cave de la cité Balzac de Vitry-sur-Seine. Belle et insoumise, Sohane avait payé de sa vie le fait de ne pas s'être pliée aux normes de fonctionnement de la cité, à la loi du plus fort. Kahina, sa sœur aînée, malgré le chagrin, la souffrance et les pressions, refusa de s'enfermer dans le silence et de se taire. Avec courage et détermination (tout comme son illustre homonyme, liée à l'histoire du peuple berbère), Kahina dénonça la barbarie qui venait de briser la vie des siens et voulut faire connaître haut et fort le sort des filles des cités.

Quelques mois plus tôt était paru un livre, *Dans l'enfer des tournantes*, de Samira Bellil [1], récit à la première personne de ces viols collectifs qui, depuis, défrayent la chronique. Ces histoires de filles violées par des bandes de garçons pour n'avoir pas dissimulé leur féminité, nous les avions maintes fois entendues

1. Samira Bellil, *Dans l'enfer des tournantes*, Denoël, Paris, 2002.

lors des permanences dans nos associations. À chaque fois, la pression de la cité étant trop forte, les filles se taisaient et le quartier se refermait sur ses tabous. Cru, direct et douloureux, le témoignage de Samira avait fait l'effet d'une bombe en révélant cette réalité incroyable. Cette femme a été très seule dans sa bataille, mais elle est allée jusqu'au bout. J'ai une vraie admiration pour elle, pour sa grande humanité. Durant les débats, aux différentes étapes de la Marche, elle a toujours expliqué qu'elle ne pouvait pas pardonner à ses bourreaux mais qu'en même temps elle pouvait comprendre pourquoi ils en étaient arrivés là, leur parcours, le lent processus de destruction dans lequel ces jeunes ont été entraînés. En refusant d'être dans la haine, elle nous a donné une leçon extraordinaire. Elle est devenue marraine du mouvement « Ni Putes Ni Soumises » et j'en suis fière. Son livre eut aussi pour effet d'ouvrir les yeux de certaines femmes vivant le même enfer et leur donna la force de dire « ça suffit ».

Les expériences vécues par Kahina et Samira, ainsi que leur soutien, nous renforcèrent dans notre volonté d'aller au bout de notre pari, un peu fou, de mettre un terme à cette violence à l'égard des femmes.

Sans me décourager face au scepticisme ou aux résistances de certaines personnes dans mon entourage, j'ai convaincu une poignée de militants de la Fédération nationale des Maisons des potes, dont je suis la présidente, qu'il fallait organiser une marche pour dénoncer au grand jour les pratiques de ces garçons des cités, minoritaires mais qui en pourrissent la vie. Nous avons donc commencé par organiser des États généraux des femmes des quartiers, incroyable moment de prise de parole de femmes qui avaient pris l'habitude de se taire. Puis ce fut la « Marche des femmes des quartiers pour l'égalité et contre le ghetto ». Vingt ans auparavant, il y avait eu la Marche des Beurs, premier sursaut collectif de jeunes issus de l'immigration pour dénoncer les crimes racistes en recrudescence mais également pour exprimer leur sentiment d'être niés dans leur identité et revendiquer leur appartenance pleine et entière à la République. En février-mars 2003, la « Marche des femmes des quartiers pour l'égalité et contre le ghetto » a marqué le début d'une prise de conscience collective. Au-delà du chômage qui frappe plus durement les jeunes des cités, de la pauvreté qui sévit dans les familles, quelles que soient leurs origines, de l'exclusion culturelle et politique qui marginalise les habitants, des discriminations dont sont victimes quotidiennement les jeunes issus de l'immigration, des violences propres aux quartiers laissés à l'abandon, une lente dégradation sociale est en marche dans les banlieues. Une lente dérive vers le ghetto, qui a déjà ses premières victimes : les filles. Les tournantes n'en sont que la face la plus cruellement visible. Toute une série d'humiliations et de contraintes minent dorénavant la vie quotidienne de ces femmes. Depuis quelques mois, elles ont commencé, avec nous, à dire « stop ». Pour affirmer qu'elles sont des « féminines, voire des féministes, qui veulent porter une jupe sans passer pour une "salope" » comme le disait si justement Louisa, chanteuse de hip-hop marseillaise.

Il ne s'agit pas pour nous, pour moi, de participer à une quelconque stigmatisation des garçons des cités.

Tous ne sont pas devenus des machos, des petites frappes réalisant de plus ou moins gros trafics dans des citées transformées en zones de non-droit, comme on peut le lire parfois. Mais il y a indéniablement des comportements violents qui se sont instaurés et des pratiques qui ont dérivé.

J'essaie de porter ici un regard lucide sur nos cités. Si le constat est amer, l'espoir, selon moi, n'est pas loin. L'omerta a désormais explosé. De plus en plus de filles, de mères, mais aussi de garçons, nous entendent et se réveillent. Il s'agit maintenant de continuer à lutter pour que les choses changent. « Lève-toi et marche » est devenu le leitmotiv de toutes celles et de tous ceux qui souhaitent que cela bouge, enfin.

Première partie

Le triste constat d'une dégradation

Fille des cités, un statut toujours en décalage

Mon histoire personnelle a sans doute beaucoup pesé dans ma manière d'analyser la situation des filles. Je suis née en Auvergne, un pays réputé austère mais où les gens, certes réservés, sont empreints d'une générosité profonde et pudique, qu'il faut savoir mériter. Pour être plus précise, je suis née à Clermont-Ferrand, une ville ouvrière, baignée de culture populaire où, à l'époque de mon enfance, quasiment tout était organisé autour de l'usine Michelin. Travail, logement, école... la vie de nombreux hommes et femmes, à Clermont-Ferrand, était rythmée autour de cette entreprise. À l'époque, ses dirigeants avaient une façon paternaliste de traiter leurs employés et ce, sous l'œil vigilant et parfois complice du maire, Roger Quillot, décédé depuis, et qui était par ailleurs spécialiste d'Albert Camus. Je suis très attachée à ma région d'origine et si un jour, dans le débat actuel sur le repli communautaire, on me demandait de me définir, en m'obligeant à entrer dans une certaine catégorie, et bien, au bout du bout, je me définirais comme Auvergnate !

Je viens d'une famille maghrébine assez classique de dix enfants, six garçons et quatre filles. Même si mon père était dur avec tous ses enfants, autoritaire et strict en termes d'éducation – le respect est un mot qui a un sens très fort à ses yeux, il nous l'a imposé et transmis –, il faisait cependant une nette différence entre la façon dont devait vivre une fille et celle dont devait vivre un garçon. Les écarts de liberté de mouvement étaient patents : mon frère aîné avait presque tous les droits ; mes sœurs et moi, quasiment aucun. Quant aux travaux domestiques, nous devions tout faire ; à lui, les parents ne demandaient jamais rien, si ce n'est le fait d'assumer les responsabilités qui incombent à l'aîné. De ce fait, les relations entre ce frère aîné et le reste de la fratrie se sont trouvées rapidement faussées. Enfermé dans ce rôle imposé par les traditions patriarcales, mon frère s'est progressivement isolé et a entamé une lente dérive, qui l'a amené à l'âge adulte jusqu'aux portes de la prison. Si ce drame a marqué durablement notre famille, aussi étrange que cela puisse paraître, il a également permis une amélioration des relations, un certain rapprochement avec ce frère aîné.

L'enfance ordinaire d'une fille issue de l'immigration

Mes sœurs et moi, nous ne pouvions pas sortir comme nous le voulions. Situation à laquelle étaient confrontées nombre de femmes de ma génération, immigrées ou non. Par exemple, quand les éducateurs programmaient des camps à la campagne, mon frère avait plus de facilité pour obtenir l'autorisation d'y aller ; tandis que nous, il fallait négocier, palabrer. Même chose pour le cinéma, où il fallait attaquer les discussions quinze jours avant la sortie. Et c'était souvent ma mère qui intercédait en notre faveur, endossant à la fois le rôle de régulateur social, d'avocate, et de « casque bleu » pour ce qui me concernait. Elle arrondissait sans cesse les angles.

Cette répartition des rôles était tout à fait classique et banale dans nos milieux. Mais, comme beaucoup de mes copines, je ne comprenais pas le pourquoi de cette différence, que je percevais comme une injustice. Je la contestais en permanence et je n'ai cessé, pendant mon adolescence, de revendiquer et de demander les raisons de cette norme sexuée. Les conflits étaient donc constants et durs entre mon père et moi. À l'inverse de mes sœurs qui, plus calmes, plus enclines à la discussion et la négociation, ont toujours réussi à maintenir le dialogue avec mes parents.

Mon père avait une idée assez simple de la place de chacun : les hommes et les femmes étaient certes égaux devant la loi, mais les hommes dehors et les femmes à la maison ! C'était sa conception du monde, héritée de son éducation kabyle. Une vision très courante parmi les travailleurs immigrés. Quand mon père est arrivé en France, comment pouvait-il se rendre compte que ce modèle n'avait plus cours dans la société moderne qui l'accueillait – où les femmes pouvaient sortir, travailler et organiser leur vie –, puisqu'il s'est installé dans une cité abritant presque exclusivement des travailleurs immigrés originaires du Maghreb ? Les pères kabyles comme lui venaient d'une société patriarcale et machiste où les hommes avaient l'obligation de subvenir aux besoins de la femme. Cette dernière devait, quant à elle, rester à la maison pour élever les enfants. Il y avait ainsi une sorte de partage de terrain dans le couple : l'homme prenait en charge les besoins financiers de la famille en travaillant et la femme restait au foyer pour s'occuper des enfants et gérer la totalité de l'espace domestique. Les femmes ne sortaient jamais, sinon pour faire les courses et aller chercher les enfants à l'école. Les filles devaient suivre le même modèle. Mon père n'aurait jamais supporté que sa femme travaille, il l'aurait vécu comme une incapacité personnelle à faire vivre sa famille, une remise en cause de sa place de chef de famille. Et puis il y avait le regard des autres, des « gens qui allaient parler », le « tribunal social ».

Ma mère en a beaucoup souffert. Elle avait vingt-deux ans de moins que lui et aspirait à son indépendance financière pour gagner en liberté de décision et pouvoir acheter des « petits chiffons », comme elle disait. C'était souvent l'objet de petites disputes à la maison. Avec mes frères et sœurs, nous avons réglé le problème plus tard, en lui envoyant de l'argent tous les mois.

Je n'en veux pourtant pas du tout à mon père : il croyait sincèrement faire le bien de ses filles. Même si j'avais très peur de lui, j'ai plutôt cherché à comprendre pourquoi il réagissait ainsi. J'ai toujours eu une curiosité particulière à son égard, l'envie d'en savoir davantage sur son histoire familiale, la façon dont cela se passait dans son pays d'origine, l'Algérie. Comme mes parents n'avaient pas assez d'argent pour emmener tous leurs enfants l'été, seuls certains de mes frères et sœurs y sont allés et c'est un pays que je connais mal, que j'ai découvert tardivement. Le parcours migratoire de mon père est assez banal. Originaire d'Aït Yussef dans les montagnes de Petite-Kabylie, il est arrivé en France en 1955 pour trouver du travail dans le bâtiment. Ma mère l'a rejoint en 1960, après leur mariage. Elle avait seize ans, et a eu très vite son premier enfant. Puis les autres ont suivi, à dix-sept, dix-huit, dix-neuf ans... Quand mes parents sont arrivés, ils ont été « parqués » dans une cité d'urgence, comme de nombreux immigrés auxquels la France avait fait appel pour répondre à ses besoins de main-d'œuvre. Située dans la banlieue sud-est de Clermont-Ferrand, Herbet, la cité où mes parents se sont installés et où j'ai grandi, n'était pas un grand ensemble, mais un petit quartier populaire situé à une demi-heure du centre-ville, où étaient logées cent cinquante familles. C'était en fait un bidonville, transformé en cité d'urgence à la fin des années 1960 et qui a perduré après des réhabilitations répétées. J'en garde le souvenir d'une sorte de « village gaulois », où tout le monde se connaissait, s'entraidait, où les enfants grandissaient ensemble. Même si les populations étrangères y étaient regroupées, je n'avais pas le sentiment de vivre dans un ghetto. Notre cité était cependant peuplée à 90 % d'immigrés algériens, tous titulaires d'une carte de séjour. En face, en traversant deux rues, on se retrouvait dans un quartier appelé la Condamine, où il y avait une forte communauté portugaise.

Dès l'enfance, je me suis bien rendu compte qu'il y avait des choses qui n'allaient pas. Ainsi, juste à côté de l'endroit où nous vivions se trouvait un abattoir, autour duquel pullulaient des rats. À l'école, avec les autres enfants de la cité, nous étions appelés les « Herbet » par les autres gamins, ce qui était une manière d'identifier notre quartier comme étant celui des Arabes. Je ne comprenais pas ces distinctions, cette étiquette, car je ne ressentais aucun problème d'identité. Certes, je m'appelais Fadela, mais j'étais née en France, à Clermont-Ferrand, en 1964. Comme beaucoup de gosses, mon enfance fut bercée par les contes de fées classiques, par des histoires et légendes où les ogres avaient une place prépondérante. Comme beaucoup d'écoliers, je lisais *Poil de carotte*, *Le Petit Prince*, j'avais adoré écouter – en cassette audio – l'histoire de Pierre et le Loup, racontée par la merveilleuse voix de Gérard Philipe, dont je fus longtemps amoureuse. Noël était également une fête importante pour nous – comme pour les autres familles de la cité – et chaque année, j'attendais avec impatience la venue du Père Noël pour les cadeaux et les friandises. Comme tous les enfants, on pariait des bonbons, avec mes frères et sœurs, à celui qui le verrait le premier. Cela nous a valu des nuits très courtes ! Mais la magie opérait toujours, le matin au réveil, lorsque nous découvrions les cadeaux déposés clandestinement. Pour Pâques, c'était pareil. Ma mère parsemait notre bout de jardin d'œufs de Pâques et de poules et cloches en chocolat. C'était la course au trésor. Et je dois dire que de nous tous, c'était elle qui s'amusait le plus à nous voir fouiller partout et pousser des cris de joie dès le magot trouvé !

Aussi je m'étonnais de constater parfois, dans le regard des autres, que j'étais perçue comme différente, venant d'ailleurs. Ces choses-là, avec le temps, ont pris forme et sont devenues discrimination, exclusion, racisme. Des thèmes chers à l'extrême droite. Mais, au fond de moi, je savais avec certitude que ce n'était pas cela la France. Ma France à moi – partagée par bon nombre de personnes issues de l'immigration – c'est la France des Lumières, la France de la République, la France de Marianne, des dreyfusards, des communards, des maquisards. Bref, la France de la Liberté, de l'Égalité et de la Fraternité. Une France laïque où le seul principe qui prévaut est le progrès des consciences et rien d'autre. Mais le hasard a fait que c'est dans le creuset de la République – l'école de mon enfance –, que j'ai véritablement senti pour la première fois que j'étais une étrangère, le jour où une institutrice voulant recenser les élèves étrangers, et pensant certainement bien faire, m'a demandé de lever la main. Et pourtant, selon la loi issue des accord d'Évian, j'avais la nationalité française.

Mes parents, eux, sont restés Algériens – mon père en a fait le choix lors de l'indépendance ; l'un de mes frères, né avant 1962, a une carte de séjour ; ma sœur aînée, quant à elle, a obtenu la nationalité française par mariage. Ma famille est donc un vrai puzzle de nationalités, comme de nombreuses familles immigrées.

Nous vivions très pauvrement à Herbet. Ma mère, aux ressources intarissables, s'ingéniait cependant avec les moyens du bord à nous faciliter la vie. Elle inventait des jeux, nous confectionnait de succulents gâteaux, nous chantait des chansons populaires d'Enrico Macias, Claude François, Sheila, Rabah Driassa, et le tout avec l'accent, s'il vous plaît ! À la maison, comme dans le reste de la cité, on manquait de beaucoup de choses et on ne mangeait pas de viande tous les jours. Les pommes de terre en revanche étaient omniprésentes dans nos assiettes, cuisinées de mille façons. Et j'avoue que je n'en ai absolument pas été dégoûtée, au contraire !

Je me souviens de mon père, rentrant le vendredi soir du travail, en train de compter sa paye – il n'y avait pas de chèques à l'époque – et faire des petits tas : un pour le budget alimentaire, un autre pour les dépenses diverses, un troisième pour les économies, au cas où surviendrait un problème... Ce sont des souvenirs qui marquent. Je garde encore cette image de mon père concentré, toujours soucieux, qui ne souriait jamais. Ma mère, c'était l'inverse : une vraie gamine, toujours souriante, sociable. Sa gaieté compensait le caractère sombre de mon père.

Une scolarité écourtée et des débuts professionnels difficiles

Coincée à la maison, j'ai tenté de trouver à l'extérieur les moyens de gagner ma liberté. Mais je n'ai pas réussi à me servir de ce qu'offrait l'école pour y parvenir. J'ai eu plutôt un parcours chaotique, comme de nombreux jeunes de mon quartier. L'école nous apparaissait trop déconnectée de ce que nous vivions dehors. Je lisais beaucoup – ma mère disait toujours : « Ma fille, elle a les yeux dans les livres » –, mais ça me barbait de rester assise dans une salle de classe. Je m'étais mis dans la tête que je ferais un bac littéraire car il n'y avait que le français qui m'intéressait ; dans les autres matières, j'étais nulle et indisciplinée. En fait, j'étais physiquement présente mais ailleurs en pensée ! Plongée dans ces rêves de gamins qui transportent et fabriquent l'avenir éclatant, je rêvais d'être danseuse étoile dans les Ballets du XXe siècle dirigés par l'incroyable Maurice Béjart. Combien de cours ont zappé dans ma tête, trop pleine d'un pas de deux avec le sublime Jorge Donn ! Mais la vie en a décidé autrement. Quoi qu'il en soit, je ne comprenais pas, par exemple, que nous ne puissions pas parler à l'école des sujets d'actualité, de la vie. Je me souviens de la mort d'un gamin d'une cité, dans laquelle les policiers étaient concernés. J'avais voulu en parler avec un prof, savoir pourquoi on autorisait les flics à des dérapages aussi extrêmes sans qu'ils soient poursuivis en justice. Nous connaissions tous des grands qui avaient fait de la prison pour des histoires de vols et l'image que nous avions de la justice, c'était qu'elle tranchait selon « deux poids, deux mesures ». Ce n'est que beaucoup plus tard – dans le cadre d'un projet de la Maison des potes avec le Centre de loisirs jeunesse, géré par Bob Sametier et son équipe, tous policiers, pour favoriser le dialogue entre flics et potes – que j'ai évolué dans ma représentation de la police républicaine. J'ai pris conscience que les policiers étaient avant tout des femmes et des hommes dévoués, prenant des risques pour que chacun puisse bénéficier d'un droit fondamental en démocratie, le droit à la sécurité. La seule réponse du prof a été de me dire : « On ne discute pas de ce type de sujet en classe. Ici, on est là pour apprendre et travailler. » J'ai commencé à décrocher.

J'ai été virée du collège à seize ans et orientée en « vie active ». Pour éviter la galère, ma mère m'a poussée vers un CAP d'employée de bureau. Et mon père m'a inscrite dans une école de bonnes sœurs, sa situation financière s'étant un peu améliorée. Connaissant mon caractère vindicatif, il ne voulait pas que je traîne dehors. Il avait peur que je sois victime du « tribunal communautaire », que les gens de la cité commencent à dire que je parlais trop, que je contestais beaucoup. Il savait qu'une telle réputation avait des conséquences : les hommes ne vous demandent plus en mariage. Or pour lui, la réussite d'une femme se résumait à se marier et fonder une famille. Je ne collais pas du tout au modèle. Il fallait me recadrer.

Cette école de sœurs a été un choc pour moi. Les règles étaient très strictes et tous les matins il fallait faire la prière. C'était une obligation sans discussion possible. Alors, je me suis pliée à la règle mais, étant de confession musulmane, je récitais mes prières en arabe. Cela n'a pas été apprécié par les professeurs et les réflexions et jugements ont fusé. L'intolérance peut prendre différents visages. J'ai redoublé, loupé mon CAP et fini à l'ANPE. Au quotidien, pour m'accrocher, je lisais. Ce goût immodéré pour la lecture m'avait été transmis par mon institutrice, Madame Peyron, qui m'avait offert mon premier livre. Depuis, je n'ai cessé de lire. De Victor Hugo à Alfred de Musset, d'Alexandre Dumas à Zola, de Martin Luther King à Gandhi en passant par Marguerite Yourcenar, Hermann Hesse, Khalil Gibran et bien d'autres. Notamment le talentueux Kateb Yacine, dont la belle plume m'a maintes fois évoqué l'histoire de mes parents.

À cette époque, à l'ANPE, on pointait encore tous les mois. Voir tous ces gens faire la queue pour justifier la maigre allocation qu'ils recevaient me rendait malade. Surtout les vieux, qui attendaient avec un air tellement fatigué. Je trouvais scandaleux qu'un pays comme la France soit incapable de leur donner du travail. J'étais prête à lâcher les mille balles qu'ils donnaient à l'époque pour éviter cette humiliation. Je savais que ma vie n'allait pas être facile, d'autant que je partais sans bagages. Mais je l'avais cherché, je devais l'assumer. Pour m'en sortir, j'ai dû faire le parcours du combattant, en enchaînant contrats à durée déterminée et autres types d'emplois : TUC, CES...

Un engagement militant né d'un choc

C'est dans l'action collective que je me suis vraiment réalisée. Mon engagement militant est né d'un choc, la mort d'un de mes frères, lorsque j'avais quatorze ans. C'était en 1978, mon petit frère, Malik, le petit dernier, s'est fait écraser par un chauffard complètement ivre. J'ai alors vu comment les flics pouvaient maltraiter des gens, simplement parce qu'ils étaient arabes. Quand elle a vu son fils par terre, ma mère a fait une crise de nerfs, elle s'est mise à hurler de douleur. Les flics sont alors arrivés et l'un d'entre eux l'a attrapée et secouée. J'étais à côté de mon frère, en train de le tenir dans mes bras et de lui parler, de lui dire que sa maman était là, qu'il ne fallait pas qu'il s'inquiète ; quand j'ai levé la tête, j'ai vu ce flic bousculer ma mère, rudoyer mon père. Alors, quand l'ambulance a emmené mon petit frère, je suis allée voir le flic, pour le frapper et l'insulter. Je lui ai crié que je lui interdisais de parler comme ça à mes parents. J'entends encore la phrase qu'il a lâchée : « Qu'est-ce qu'ils nous font chier, ces bougnoules ! » Ça a été comme un électrochoc ; j'ai pété les plombs. Les jeunes de la cité autour étaient fous furieux. On a commencé à agresser le chauffard, à vouloir lui mettre une raclée. Il a été protégé par les policiers qui, au lieu de calmer les choses, se sont mis à nous traiter de « sales bougnoules », à gueuler que ce n'était pas les Arabes qui allaient commander.

Mon petit frère est décédé plus tard à l'hôpital, il avait cinq ans. L'épisode a marqué la cité. Pendant longtemps, après cet événement, les relations ont été très tendues entre les jeunes du quartier et la police. Quand les flics débarquaient dans la cité, ils ne venaient pas faire de la pédagogie mais sévir violemment. Ils rentraient chez les gens en cassant les portes pour embarquer un jeune et l'emmener en prison. À l'époque, on voyait aussi des cars de CRS boucler subitement les deux entrées de la cité : ils sortaient avec des matraques et se tapaient une ratonnade. Durant toute mon adolescence, j'ai vécu avec cette image de flics qui débarquent dans la cité pour rendre une famille malheureuse. Mais quand ils interpellaient l'un de nous, c'était toute la cité qui était touchée parce que la solidarité y était très forte. Alors, même si certains jeunes faisaient des conneries, c'était dur pour tous.

Herbet a eu ainsi très longtemps une mauvaise réputation, qui influé sur la vie de ses habitants. Beaucoup des jeunes de ma génération ont été victimes de discriminations. À cette époque, l'ascension sociale par les études était extrêmement difficile. Très peu ont poursuivi des études universitaires, cela coûtait trop cher. Parce que je n'acceptais pas cette injustice, j'ai voulu changer de toutes mes forces le regard de l'autre, qui me renvoyait systématiquement à mes origines sociales et ethniques. J'ai souhaité prouver que, malgré nos différences, il nous était possible et donné de vivre ensemble dans une république laïque, dans une citoyenneté pleine et entière.

Suite à la mort de mon petit frère, j'ai donc décidé de me bouger, pour faire en sorte que les choses autour de moi bougent. À l'époque, l'un des rares espaces où les filles avaient l'impression d'être sur un certain pied d'égalité avec les garçons était la vie de la cité. Alors je m'y suis investie. À dix-sept ans, j'ai monté avec des copines une « marche civique » pour inscrire les jeunes des quartiers sur les listes électorales. L'objectif était double : il s'agissait de démontrer notre sentiment d'appartenance à la nation en participant aux différentes élections, mais également d'être mieux considérés des élus locaux. Quatre cents jeunes nous ont suivis et une délégation fut reçue par le maire. C'était déjà une première victoire. Juste après, en 1982, nous avons créé une association, l'Association des femmes pour l'échange intercommunautaire, avec l'aide de la municipalité. Créer un espace d'échange, de solidarité, porteur de projets pour la vie de la cité, voilà ce qui nous motivait. Faire participer nos pères, nos mères, les jeunes à la promotion du quartier pour en changer l'image, donner à chacun la possibilité de valoriser le collectif, tels étaient les objectifs que nous nous étions fixés.

Et puis il y a eu la Marche des Beurs. Pendant l'hiver 1983, une poignée de jeunes des Minguettes, un quartier dans la banlieue de Lyon, a décidé d'organiser une marche pour dénoncer le racisme dont faisaient l'objet les jeunes issus de l'immigration. À cette époque, pas un mois ne passait sans qu'un crime raciste soit commis, soit par les fachos soit par les flics. Les marcheurs ont été soutenus dès le départ par le Père Christian Delorme, un prêtre des cités qui a beaucoup contribué à la réussite de l'initiative. Elle a eu un écho énorme, tant dans les cités que dans le reste de la société française. Pour la première fois, les fils d'immigrés se mettaient à dénoncer la haine dont ils étaient la cible et revendiquaient leur intégration. J'ai participé à l'étape de Clermont-Ferrand, comme tous mes copains. Mais je n'ai pas pu monter pour la manifestation nationale à l'arrivée des marcheurs à Paris, mon père ne voulait pas en entendre parler. Je l'ai suivie à la télé.

Quand par la suite des collectifs se sont constitués pour organiser la marche suivante, je ne les ai pas rejoints parce que je ne m'y reconnaissais pas. Je trouvais les hommes trop « machos » : ils voulaient bien que les filles marchent, mais se fichaient complètement des revendications d'égalité hommes-femmes. Quand on leur disait qu'ils devaient changer de comportement, qu'il fallait aussi faire une marche des Beurs et des Beurettes, ils devenaient sourds. Ils avaient du mal à accepter que les filles puissent revendiquer... J'ai préféré m'investir dans mon quartier où, avec des copines, nous avons monté un projet visant à retaper les logements qui étaient dans un état lamentable : l'électricité n'y était pas aux normes et le bâti était totalement délabré, une catastrophe était susceptible de se produire tous les jours. Nous nous sommes donc battues pour que la municipalité dégage un budget pour une véritable réhabilitation. Et nous avons beaucoup travaillé également sur les questions de recherche d'emploi, parce que le chômage qui touchait ces quartiers était déjà terrible.

L'engagement à SOS Racisme

C'est à cette période que j'ai rencontré des militants de SOS Racisme. Cette association, connue grâce à son slogan « Touche pas à mon pote », était née à la suite de la deuxième marche des Beurs, en décembre 1984. Cette marche, intitulée « Convergence 84 », voulait promouvoir une France solidaire mais elle fut un demi-échec pour le mouvement beur, tiraillé entre les jeunes qui prônaient l'intégration et l'investissement dans les partis politiques de gauche et ceux qui voulaient construire un mouvement maghrébin autonome. Cependant, la petite main de SOS Racisme a rapidement connu un succès incroyable dans la jeunesse. Avec mon père, nous regardions tous les jours les informations à la télé. Le journal télévisé était d'ailleurs la seule émission que nous pouvions voir ensemble, les films, ce n'était pas la peine d'essayer : dès qu'il y avait des scènes où les acteurs s'embrassaient, on était obligé de zapper ! C'est donc sur le petit écran que j'ai vu apparaître SOS Racisme qui, à la différence du mouvement beur, représentait un vrai métissage. Ça me plaisait de voir des Blancs, des Blacks et des Rebeus ensemble, qui revendiquaient le droit de vivre dans une société d'égalité et de fraternité.

J'ai dû attendre pour vraiment m'engager. Pendant longtemps, mon père s'y est opposé parce qu'il pensait qu'une fille n'avait pas sa place dans ces mouvements. C'était toujours une bagarre incroyable dans les familles quand les filles voulaient militer. Alors elles le faisaient clandestinement. J'ai adhéré à SOS

Racisme à la fin de l'année 1986 grâce à l'aide de deux copines : Khadija et Maryse, cette dernière étant aujourd'hui décédée. Elles ont joué un rôle extraordinaire pour moi et font partie de ces rencontres de hasard qui vous tirent vers le haut. Comme elles venaient toutes deux régulièrement à la maison, mes parents les aimaient bien et leur faisaient confiance quand elles m'emmenaient.

C'est donc grâce à elles que j'ai pu participer aux réunions le soir et c'est aussi avec leur aide qu'en 1987 j'ai pu monter à Paris pour participer aux réunions du conseil national de SOS. Il faut se rendre compte de ce que cela signifiait pour mon père, un Kabyle, de voir sa fille partir à Paris et découcher. Il avait très peur du « qu'en-dira-t-on », que je fasse des bêtises... Il avait tendance à se raidir lorsque mes sœurs et moi lui demandions l'autorisation de sortir, il fallait qu'il contrôle tout. Sans Maryse et Khadija donc, je n'aurais jamais pu monter à Paris et commencer à militer. Grâce à des militants comme elles, Mohammed Abdi ou Malek Boutih, j'ai appris à m'émanciper. À SOS, ils étaient convaincus que les filles devaient s'investir autant que les garçons. Il était si rare de rencontrer un Beur qui parle de liberté de la femme. C'est en militant que j'ai réussi peu à peu à remettre en cause l'éducation rigide que j'avais reçue. Auparavant, même si je la contestais, j'avais des schémas sur la répartition des rôles profondément ancrés en moi. Comme par exemple le fait de faire le ménage sans trouver anormal que mes petits frères ne le fassent pas.

Mon investissement à SOS Racisme m'a aussi apporté une culture politique qui me faisait défaut.

Quand on vient des cités, on n'a pas tous les outils pour décrypter les événements, analyser son environnement social. Mon père s'était engagé pendant la guerre d'indépendance du côté du FLN, mais il ne comprenait pas comment fonctionnait la vie politique française. J'avais bien eu des cours d'instruction civique à l'école, mais je les avais trouvés barbants car mon professeur était dur et austère. Par la suite, je me suis rendue compte que, grâce à lui, j'avais tout de même appris les bases du fonctionnement de la République.

En 1988, on a travaillé sur le projet Maison des potes. La Fédération nationale des Maisons des potes avait été lancée en 1988 par des militants de SOS Racisme dans l'idée de casser l'image négative des banlieues et de mettre en valeur les initiatives positives qui pouvaient se développer sur le terrain. Aujourd'hui, cette fédération regroupe près de trois cents associations de quartier. À l'époque, ce mouvement correspondait exactement à ce que je cherchais depuis des années ; je m'y suis investie à fond. Transformer le quartier, il n'y avait que cela qui m'intéressait. Plus tard, je suis devenue permanente de l'association.

Mon engagement est sans doute assez exceptionnel parmi les filles de mon âge. Mais toute notre génération s'est impliquée, à des degrés divers, dans la vie publique. Cela a aidé les filles à gagner en liberté et les garçons à avoir un autre regard sur elles.

À l'époque où j'étais adolescente, les garçons et les filles d'un même quartier grandissaient et vivaient ensemble. À l'école comme à l'extérieur du cercle familial, à l'occasion des sorties par exemple, les filles et les garçons n'étaient pas séparés comme aujourd'hui. Le mot « respect » avait encore un sens et s'appliquait à la fois aux parents, aux plus anciens, mais également aux relations entre garçons et filles. Dans le quartier, pas un garçon ne se permettait d'insulter une fille ou de lever la main sur elle. S'il la voyait par exemple à l'extérieur de la cité avec un groupe de garçons qui n'étaient pas connus, il pouvait en parler à son frère mais, en aucune manière, il ne se permettait d'intervenir publiquement en montrant sa désapprobation, ou de régler le problème lui-même. Il y avait même une certaine complicité entre les filles et les garçons qui, souvent, fermaient les yeux et ne disaient rien.

L'obligation de rester vierge pesait bien sûr sur la sexualité des filles. Mais, en même temps, le combat qui avait été mené par le mouvement beur et qui fut renforcé par SOS Racisme avait permis aussi de gagner une certaine liberté, notamment pour celles qui y avaient participé. Il avait apporté tout d'un coup à des centaines de jeunes filles une liberté de mouvement nouvelle et leur avait donné la possibilité de choisir leur compagnon. Même si tout cela n'était pas dit officiellement dans les familles, il existait un accord tacite : tant que la fille ne se montrait pas trop, elle pouvait vivre ses amours. C'est pour cette raison qu'on a vu souvent des filles d'origine étrangère se marier avec des jeunes hommes qui n'étaient pas de la même origine qu'elles. Je pense que les mariages mixtes étaient plus courants qu'aujourd'hui. Même s'ils demeuraient plus faciles pour les garçons qui, dans notre système patriarcal, héritent du nom et le transmettent.

La situation des filles au début des années 1990, le début d'une dérive masculine

La situation a commencé à changer vers 1990. On a pu sentir à partir de ce moment-là les prémices d'une dégradation des rapports filles-garçons lors des permanences de la Commission femmes que nous avions mises en place dès les premiers mois d'existence de la Maison des potes de Clermont-Ferrand. Des jeunes femmes ont commencé à venir nous voir pour nous dire qu'elles n'allaient pas bien, qu'elles avaient envie de sortir le soir mais que leur père s'y opposait par crainte du « qu'en-dira-t-on ». Il fallait se méfier du « tribunal communautaire ». Les filles venaient chercher conseil sur des questions liées à leur liberté de mouvement, à la possibilité de sortir le soir, d'aller de temps en temps au cinéma. Autant de problèmes que nous avions toutes rencontrés mais que nous avions résolus seules. Nous nous étions battues pour obtenir un peu de liberté ; elles n'en avaient plus la force. Dans nos familles, le dialogue, la communication étaient encore possibles ; les enfants parlaient alors encore avec leurs parents. Chez ces jeunes filles, ce n'était plus le cas : les mensonges et les silences s'étaient installés dans les relations entre parents et enfants.

Des pressions masculines de plus en plus oppressantes

La dégradation est venue subrepticement, sans qu'on y prenne garde. Au fil des mois, les demandes des jeunes femmes qui passaient à la Maison des potes ont changé. Elles venaient de plus en plus témoigner des contraintes économiques qui pesaient sur elles à l'intérieur de la famille. La plupart de celles qui avaient la chance de travailler se voyaient confisquer leur salaire. Leur contribution aux ressources de la famille n'était plus une aide négociée comme auparavant, mais une obligation de verser la quasi-totalité du salaire. Cette confiscation remettait en cause leur indépendance. Acheter des produits de maquillage ou un tube de crème, aller chez le coiffeur, faire les magasins, toutes ces choses qui paraissent anodines devenaient difficiles. Ce sont des détails, mais des détails qui, avec le recul, sont assez illustratifs de cette dégradation.

Et puis est venu le temps des violences physiques. Il nous a fallu faire face à des cas de plus en plus nombreux de filles qui partaient de chez elles, qu'il fallait héberger en urgence. En deux-trois ans, la situation s'est totalement détériorée. Cela correspond au moment de l'entrée en scène des grands frères. La nature des pressions que vivaient les filles d'origine immigrée a alors changé : les contraintes n'étaient plus celles imposées par la tradition, par la famille, mais par les garçons.

Cette détérioration s'inscrit dans une période de chômage de masse, qui a fait d'énormes dégâts dans les cités. Les immigrés ont été les premiers touchés par les licenciements dans les industries en pleine restructuration et les pères se sont retrouvés sans travail, sans statut social. Leur renvoi des usines vers l'inactivité a inversé complètement les rôles dans les cellules familiales et bousillé l'autorité de père. Celui-ci avait jusqu'alors l'apanage de l'autorité, puisque c'était lui qui donnait les règles de vie commune et arbitrait les conflits entre frères et sœurs. Or le chômage a fait perdre au père toutes ces prérogatives, qui sont passées au fils aîné. Aujourd'hui, le père est devenu le grand absent, on le voit bien dans les débats organisés sur le malaise des banlieues : il y est beaucoup question des mères, du grand frère, mais très peu des pères. Les pères se sont ainsi vu confisquer leur place par le fils aîné. C'est lui qui s'est mis à commander la famille. Il a physiquement remplacé le père dans ses fonctions de protection et de répression. La mère continuait à s'occuper de l'éducation des plus petits, à transmettre les valeurs, mais c'était désormais le fils aîné qui tranchait les conflits. C'est à lui qu'est revenue la responsabilité d'inculquer à la fille les valeurs familiales et de la surveiller à l'extérieur pour voir si elle s'y conforme.

C'est ainsi qu'après s'être arrogé l'autorité au sein des familles, les garçons l'ont exercée dans la cité. Leur mission était claire : protéger la sœur des prédateurs, la préserver vierge jusqu'au mariage. Cela ne concernait pas encore l'ensemble des filles des cités, juste la sœur. La famille s'est organisée autour du garçon, en intégrant la tâche qu'il s'était lui-même assignée : la protection de la sœur. Tout le monde a fermé les yeux en disant que c'était pour le bien des filles. Et leur liberté, qui avait été acquise durant les mouvements beurs et les manifestations antiracistes des années 1980, s'est vue de plus en plus rognée.

Puis cette pression s'est accentuée pour devenir une véritable oppression. Le quotidien des filles des cités a peu à peu changé. Un véritable contrôle s'est instauré sur leurs allées et venues. Les sorties se sont réduites comme une peau de chagrin. Les rares fois où elles y étaient autorisées, on leur imposait une heure pour rentrer. Et plus question de sortir seules : elles devaient désormais être accompagnées par des copines agréées par la famille et parfois même par un frère, soi-disant là pour les protéger. Dans le même temps s'est instauré un contrôle strict des fréquentations masculines des filles. À l'intérieur de la cité, elles se sont vu imposer des barrières. Hors de la cellule familiale, la mixité, c'était terminé. D'année en année, les filles ont été de plus en plus contraintes d'accepter un avenir de femme au foyer. Continuer des études longues est devenu une véritable bataille pour celles qui y aspiraient : à quoi bon, puisque le mariage était redevenu le but naturel de la vie qu'on leur assignait ?

L'étape suivante fut l'extension de ce pouvoir de contrôle masculin à l'ensemble des garçons de la cité. Ce n'était plus seulement au grand frère qu'était assignée une mission de surveillance sur ses sœurs mais à tous les garçons de la cité. Cette veille est devenue un véritable système dirigé contre la « tribu des filles ». L'honneur de la famille et du quartier était désormais porté par tous les garçons de la cité. Cet honneur passant par la préservation de la virginité des filles, ils en sont devenus collectivement les gardiens. On ne disait plus : « C'est la fille d'Untel » mais « C'est la fille de tel quartier », avec comme présupposé l'exercice d'un droit de regard par les garçons sur sa vie et ses fréquentations.

Les hommes, nouveaux gardiens de la cité

Le changement de comportement des garçons à l'égard des filles a été progressif mais absolu. Plus les années passaient, moins les pouvoirs publics s'occupaient de nos cités et plus le comportement de certains garçons se radicalisait. Surtout de garçons sans travail zonant en bas des tours, ceux qui « tiennent les murs », comme on dit. Passant le temps constamment entre eux, à ressasser leurs rancœurs et leurs échecs, ces garçons ont commencé à devenir autoritaires puis, sous prétexte de les contrôler, à faire preuve de violences verbales à l'encontre des filles, à les insulter. Quand ils les trouvaient à l'extérieur, ils leur disaient de rentrer à la maison en les menaçant de tout raconter à leur frère : ce qu'elles avaient fait, où ils les avaient vues et avec qui. Les hommes de la famille étaient ainsi tenus au courant des agissements de leurs « protégées ».

Puis ils sont passés à l'étape supérieure en intervenant directement. Ils se sont sentis autorisés à déranger les filles, d'autant plus si elles étaient accompagnées d'un garçon venant d'un autre quartier, à qui ils n'hésitaient pas à faire sentir leur « droit de possession » en affirmant : « Cette fille est de ma cité, de mon quartier. Tu n'as rien à faire avec elle. » Les jeunes femmes n'avaient pas le droit de se défendre ; elles devaient rentrer et attendre le rapport qui ne manquerait pas d'être fait au frère.

Dès le milieu des années 1990, j'ai remarqué avec une inquiétude croissante la violence qui avait commencé à se répandre dans les quartiers, accompagnant leur décomposition sociale. Mais le plus terrifiant a été de voir de plus en plus de garçons prendre possession du corps des filles. Cette dérive a constitué un véritable enfermement pour celles-ci. Ainsi, il leur est désormais interdit de s'habiller ou de se maquiller comme elles le veulent. Les garçons ont imposé leur loi sur l'apparence extérieure des filles. Finis les jeans et T-shirts moulants, vécus comme une provocation parce que mettant trop en valeur la féminité. La réaction des garçons est sans pitié. Celles qui osent passer outre sont traitées de « putes ». À mon époque, c'était quelque chose de naturel pour les filles que de porter des jupes courtes, des jeans moulants, des décolletés, des petits T-shirts. Aucun homme ne se serait permis une quelconque remarque. La mise en valeur de notre féminité était surveillée, de loin, mais acceptée, voire parfois provoquée dans des jeux de séduction entre les garçons et les filles.

Aujourd'hui, et depuis dix ans, la féminité est vécue par ces garçons comme une provocation et comme quelque chose de répréhensible. Comme s'ils se vengeaient de leur malaise, des filles qui réussissent mieux à l'école et qui, grâce à leurs études, arrivent à sortir de la cité. Il est vrai aussi que les filles préfèrent sortir avec un garçon du lycée, de la fac ou qui travaille et rejettent ces garçons qui zonent. Ces derniers le savent et le vivent mal. Tout se passe un peu comme s'il fallait qu'ils leur fassent payer le désir qu'elles leur inspirent et ainsi les culpabiliser. Ces garçons se sont donc arrogé le droit d'édicter les règles de conduite des filles de leur cité et de corriger celles qui ne s'y plient pas, surtout celles qui assument leur féminité. Ils ont pris le pouvoir sur leur quartier, comme s'ils estimaient que le fait d'y habiter induisait la possession de tout ce qu'il y a dedans, les filles comprises.

Si les comportements extrêmement violents ne concernent qu'une minorité de garçons, en même temps on constate que ce modèle de virilité exacerbée a été adopté par une grande majorité des mecs des cités. Le respect de l'autre et la solidarité ne veulent plus rien dire ; ne subsiste que la loi du plus fort et l'affirmation de sa virilité. Pour exister, ils « posent leurs couilles sur la table ». Être macho, violent, c'est leur seule façon d'être reconnus à l'extérieur comme à l'intérieur de la cité. Tout cela influe bien entendu sur leurs relations avec les filles. Dans leur représentation du monde, un homme qui s'affirme doit taper du poing sur la table, se comporter très durement avec sa femme ou sa copine. Du coup, ils leur faut adopter cette « macho-attitude » avec toutes les femmes. Et ceux qui ne suivent pas – qui ne veulent pas ou qui sont plus fragiles, appelés les « bouffons » – subissent les mêmes violences que les filles. On n'imagine pas ce qu'endurent les homosexuels. Pour eux, c'est terrible. Dans les cités, il est interdit de parler d'homosexualité. Alors quand l'un est découvert, sa vie devient un enfer.

Pourquoi une telle évolution ?

Comment en est-on arrivé là, alors que les deux décennies précédentes avaient plutôt été synonymes de progression vers des rapports filles-garçons égalitaires, à l'image de ce qui pouvait se passer dans le reste de la jeunesse ? Plusieurs facteurs spécifiques aux cités ont joué.

Tout d'abord, le fait que l'injustice sociale s'y soit accrue et que les jeunes hommes en aient été les premières victimes. D'origine sociale modeste, parfois et même souvent d'origine étrangère, habitant un quartier difficile, ils se sont retrouvés confrontés quotidiennement à une discrimination très forte, trouvant sa source dans des préjugés, dans le racisme et la discrimination ethnique. Quand ils sortent du quartier pour chercher du travail, un logement ou plus simplement aller en boîte, se balader en centre-ville, ils ont immédiatement une étiquette négative qui leur colle à la peau. Et qu'ils ont intégrée au plus profond d'eux-mêmes, notamment ceux issus de l'immigration. Ils ont pu croire que c'était héréditaire puisque nous, la génération précédente, en avions déjà souffert, et avant nous nos parents. Chaque génération a réagi à sa manière : nos parents sont restés silencieux, on ne les voyait pas. Ils travaillaient, ils rentraient à la maison et ne vivaient que dans l'espoir d'un retour au pays. Nous, en accédant à l'école, nous avons commencé à réfléchir, à nous engager. Aujourd'hui, quasiment tous les garçons se replient sur le seul espace qu'ils maîtrisent : la cité.

Un autre facteur permettant de comprendre cette évolution est le fait que, dans le fonctionnement de la cellule familiale, très imprégnée de patriarcat et en particulier dans les familles issues de l'immigration, les garçons ont toujours bénéficié d'une plus grande marge de manœuvre que les filles. Ils peuvent faire ce qu'ils veulent et, à la maison, pratiquement aucune contrainte ne leur est imposée. C'est en regardant fonctionner ma mère que je l'ai compris. Pour ses six garçons, elle se plie en quatre. Elle aime ses filles, bien sûr, mais ses fils, c'est autre chose ! Mon père a la même attitude. Mes parents ont toujours fait porter à leurs filles des responsabilités dont leurs fils étaient exemptés. On ne peut pas leur en vouloir, ils ont été conditionnés ainsi par leur culture. Mais j'ai été étonnée de constater que ce fonctionnement se retrouve à l'identique dans des familles de souche française. Cela laisserait penser que, dans les cités, même si les femmes travaillent, semblent plus libres, plus indépendantes, la loi du plus fort s'est imposée dans toutes les cellules familiales. N'est-ce pas bizarre ? ! Dans les familles, les garçons ont été tellement cocoonés, surprotégés, qu'ils sont mal armés pour se battre à l'extérieur. Une fois sortis de la maison, ils échappent au contrôle des parents : certains adoptent alors les normes de la cité pendant que d'autres – par choix ou parfois inconsciemment – basculent dans la délinquance.

Ils vivent de fait une véritable schizophrénie : rois au sein de la cellule familiale et inexistants, niés, dehors. Cette absence de reconnaissance extérieure contribue fortement à leur sentiment d'être exclus, rejetés. Ils éprouvent un sentiment d'injustice majeure, qui se traduit pour ceux issus de l'immigration par le sentiment de ne pas appartenir à la Nation. Ils le ressentent d'autant plus durement qu'ils appartiennent à la troisième génération. Cette absence de reconnaissance extérieure a suscité une rage incroyable. N'ayant aucune prise sur l'exclusion subie, les garçons se sont retournés, par réaction, non pas contre la société et contre les symboles de la République mais contre leurs sœurs et l'ensemble des filles, en exerçant leur oppression dans l'espace géographique réduit qu'est la cité, le seul qu'ils ont l'impression de maîtriser.

Les filles, entre transparence et rébellion

La réaction des filles confrontées à ce machisme et à cette violence masculine a été rapide. Isolée, chacune a réagi différemment ou s'est adaptée.

Les « soumises », les masculines et les transparentes

Un premier type de comportement concerne celles qui ont intégré ce contrôle des corps et le retour en force de traditions rétrogrades patriarcales et qui s'y sont pliées. À la maison, dans la cité, elles se conforment à l'image de la femme « idéale » selon la tradition issue des sociétés patriarcales, devenue nouvelle norme sociale : le modèle de la jeune fille programmée pour devenir une femme au foyer, qui avait été dénoncé par les luttes féministes dans les années 1970. Elles restent à la maison, s'occupent des petits frères et sœurs, aident leur mère, font le ménage... Elles jouent les filles de bonne famille. On leur apprend à savoir tenir une maison, on les programme à être de bonnes épouses, de bonnes mamans. Pour moi, c'est une régression totale. Elles ne sont plus dans un processus d'émancipation où elles reçoivent une éducation qui leur permet ensuite de travailler, d'être indépendantes financièrement, de s'affirmer, en clair d'avoir le « droit du choix », comme on l'appelle entre nous. Et puis, à l'extérieur, confrontées à une société ouverte, certaines de ces filles peuvent changer complètement de comportement. Quand elles sortent de la cité, il y a tout ce qui leur est interdit : les hommes, le cinéma, la mode, la liberté. Cette réalité les frappe en plein visage et elles en « surconsomment ». Elles se fringuent en minettes, se maquillent, draguent. Pour quelques-unes, le décalage est trop violent et elles dérapent en tombant dans la prostitution ou la toxicomanie. Mais d'une manière générale, vivre dans ces deux mondes différents – celui de la maison et de la cité, où les jeunes filles doivent se conformer au rôle que les hommes veulent leur faire jouer, baissant les yeux quand ils les regardent, et le monde extérieur, qui leur apparaît comme celui de la liberté – est extrêmement difficile à gérer pour une adolescente.

On trouve ensuite un deuxième type de comportement : celui des femmes qui veulent ressembler aux mecs, qui s'imposent pour forcer le respect. Elles adoptent les attitudes des garçons en intégrant leurs outils et leurs armes. On a ainsi vu apparaître dans les cités des phénomènes de bandes constituées uniquement de filles, habillées en jogging et baskets, tenue passe-partout pour ne pas assumer leur féminité, et qui utilisent la violence comme expression. Ces filles sont très violentes dans leur parler et dans leur comportement : elles rackettent, se bagarrent – y compris avec les hommes – et n'hésitent pas à insulter, à frapper. Sans jamais un geste tendre, qui serait perçu comme un signe de faiblesse. Elles sont parfois pires que les hommes, car quand elles agressent, elles peuvent se montrer beaucoup plus dures et sadiques. Elles ont la même façon de penser et de vivre que les pires des machos : elles font comme si elles les « posaient sur la table ». Pour exister, être respectées, elles se croient obligées de frapper encore plus fort que les mecs qui sont autour d'elles.

Un troisième type de comportement, c'est la transparence. Ce sont des filles qui ont décidé que leur vie n'était pas dans la cité et qui en sont devenues les fantômes. Elles la traversent comme un espace sans importance, pour faire le trajet de la maison à l'école ou à la fac, et on ne les voit pas. Ces jeunes filles transparentes ne vivent pas dans l'espace public de la cité, elles ne s'investissent pas dans les associations de quartier. Elles n'ont qu'une chose en tête : réussir leurs études pour s'échapper de la cité. Certaines d'entre elles vivent constamment dans la crainte de ne pas pouvoir les poursuivre, si les parents ou le frère le leur interdisaient subitement. Il faut savoir que quitter le foyer familial et découcher, même pour aller à la fac, est impensable aujourd'hui dans nos quartiers. À l'époque où j'étais adolescente, si au départ les parents ne voyaient pas forcément d'un bon œil le fait de voir leurs filles aller faire leurs études à Paris ou en province, ils ne les empêchaient cependant pas de partir et étaient très fiers quand elles réussissaient, obtenaient leur diplôme. C'était alors moins difficile de les convaincre de l'intérêt de poursuivre des études. Aujourd'hui, de plus en plus de filles sont retirées de l'école, soit pour aider à la maison, soit pour être renvoyées au pays d'origine au motif de mauvaise conduite ou supposée telle, soit pour subir un mariage forcé, imposé par la famille qui redoute l'opprobre. La pression exercée sur ces filles est telle qu'elles finissent souvent par céder. Combien d'entre elles ont d'abord pensé que le mariage était un passeport vers plus de liberté avant de se retrouver piégées.

Les mariages forcés sont toujours pratiqués dans certaines communautés africaines, turques ou maghrébines et nous avons recueilli de très nombreux témoignages de filles confrontées à cette situation. Au moment de la préparation des États généraux des femmes des quartiers, une jeune femme nous a ainsi raconté le mariage forcé de l'une de ses amies : « On se connaît depuis toujours ; on a grandi ensemble. Elle sortait beaucoup ; elle avait une certaine liberté. Mais ses parents voyaient en elle la fille qui tourne mal. Et il y a la pression des gens autour, qui font des réflexions. Alors un jour, son père est allé voir sa mère. Il lui a dit que sa fille était la honte de la famille. La mère a pleuré bien sûr, et c'est là que les pressions ont commencé ; sa mère, ses frères, elle avait tout le monde sur le dos. Du jour au lendemain, tout a changé. Elle n'avait plus le droit de faire quoi que ce soit. Ça a duré des mois, des mois de conflits, des mois de réflexions pour tout et rien. Alors au bout d'un moment elle a fini par craquer. Elle a accepté de rencontrer des prétendants. Un, puis deux, puis trois, et ainsi de suite, jusqu'à ce que sa mère lui dise "stop". Par dépit, elle a fini par accepter le cinquième parce qu'il était plus jeune, un peu plus ouvert que les autres. Ils se sont fréquentés un peu, pas trop longtemps, et puis au bout d'un mois, le mariage traditionnel a été organisé par les parents. Dès ce jour, les reproches et les conflits ont commencé. Ils ont eu un enfant et puis ça s'est aggravé. Elle a été battue. Ses parents, bien sûr, étaient au courant. Ils se sont sentis coupables. Le mec était un mauvais mari. C'est pour ça qu'ils ont fini par accepter le divorce. Mais à ce moment-là, ce n'était plus un déshonneur, puisque c'était la faute du mec et que ma copine elle s'était mariée dans la tradition. Ça, je crois que c'est très révélateur de l'hypocrisie des familles [1]. »

Celles qui portent le voile

Parmi les filles des cités, on trouve ensuite celles qui jouent leur reconnaissance dans une sorte de repli communautaire et en particulier dans un retour identitaire à l'islam. Certaines d'entre elles portent le voile volontairement, dans un esprit de pratique religieuse. Mais d'autres ont subi des pressions, émanant soit des parents, soit de religieux, soit de la cité. Moi qui suis très attachée aux libertés fondamentales, je pense que

---

1. Témoignage issu du *Livre blanc des femmes des quartiers*, disponible à la Fédération nationale des Maisons des potes.

la pratique religieuse est légitime quand elle est librement choisie, sans pression ni contrainte, mais surtout quand elle s'inscrit dans une démarche de respect de la règle commune qu'est la laïcité.

Il est possible en fait de distinguer différents cas de figure parmi les filles qui portent le voile. Tout d'abord celles qui le portent parce qu'elles pensent que le fait de pratiquer leur religion les assoit dans une existence légitime. Elles sont musulmanes, le revendiquent et ont ainsi l'impression d'être reconnues et respectées. Elles portent le voile comme un étendard.

Mais de nombreuses jeunes filles, confrontées à l'impossibilité d'assumer leur féminité, le portent surtout comme une armure censée les protéger de l'agressivité masculine. Car de fait, celles qui portent le voile ne sont jamais importunées par les garçons, qui baissent la tête devant elles : voilées, elles deviennent à leurs yeux intouchables. La plupart de ces filles qui portent le voile pour se protéger l'enlèvent quand elles sortent de la cité. Elles ont toujours un sac, dans lequel elles peuvent le glisser et également ranger une trousse de maquillage – on les appelle les « filles-cabas ». Sous leur « armure », elles portent des vêtements moulants, des décolletés, mais il ne faut pas que ce soit vu dans la cité. C'est terrible à imaginer dans un pays de liberté.

Enfin, troisième cas de figure de femmes qui portent le voile : celles que j'appelle les « soldates du fascisme vert ». Il s'agit en général de filles qui ont fait des études et qui, derrière cette histoire de voile, se battent pour un projet de société dangereux pour notre démocratie. Ce ne sont pas des gamines en désarroi psychologique, en situation de faiblesse ou en quête identitaire, qui porteraient le voile parce qu'il leur assure une reconnaissance, en signifiant leur appartenance à une communauté. Non, ce sont de vraies militantes ! Elles commencent souvent par justifier le port du voile en affirmant que, pour elles, il fait partie d'un processus d'émancipation. Cela me dérange d'entendre leur discours sur la liberté d'expression parce que derrière ce symbole, c'est un projet de société différent du nôtre qui se profile : une société fascisante, qui n'a rien à voir avec la démocratie.

On a bien vu et on voit encore que, dans nos pays d'origine, le voile n'est pas un objet libérateur. Des femmes ont été vitriolées pour avoir refusé de le porter. Les féministes algériennes et bien d'autres femmes de pays musulmans, qui se sont battues pour s'en défaire au nom de la liberté, ont payé un lourd tribut. Les filles de ma génération – y compris les musulmanes pratiquantes dont je fais partie – se sont battues contre ce foulard parce qu'il a toujours été synonyme d'oppression et d'enfermement des femmes. Et aujourd'hui nous combattons sur le terrain ces « soldates du fascisme vert » qui, même si elles sont très minoritaires, sont extrêmement dangereuses.

Celles qui résistent au quotidien

Cette typologie ne serait pas complète si je ne parlais pas de toutes celles qui résistent, qui sont tout de même majoritaires. Elles vivent très mal l'atmosphère d'oppression dans les cités et résistent en affirmant leur féminité. Alors qu'avec les filles de ma génération nous avions pris les luttes comme biais pour nous affirmer, réclamer l'égalité, ces filles-là ne s'inscrivent pas dans des luttes ; elles tentent de résister en s'imposant telles qu'elles sont, en continuant à porter des vêtements moulants, en s'habillant à la mode, en se maquillant, parfois à outrance. Elles veulent vivre dans une société moderne, exister par elles-mêmes, dans le respect de leur personne et sur un pied d'égalité avec les garçons.

Dans les cités, il y a beaucoup de filles pour qui le maquillage est devenu une peinture de guerre, un signe de résistance. C'est leur façon à elles de lutter. Rien à voir avec les féministes des années 1970, qui jetaient leur soutien-gorge et menaient la guerre des sexes ! Quand je m'en étonne, elles revendiquent cette affirmation parfois agressive de leur féminité. « Ils ne veulent pas qu'on se maquille ? Sans pitié, on dessine nos lèvres au crayon. Dieu m'a donné un corps que j'assume et que je mets en valeur. Si ça les gêne, qu'ils tournent la tête. »

Ces résistantes sont encore majoritaires dans nos quartiers, mais elles trinquent tous les jours. Ce sont elles que les mecs des cités prennent le plus volontiers comme cible de leur violence. Elles subissent un véritable harcèlement fait d'insultes, de bousculades quotidiennes. Sans parler des viols, dont elles sont aussi les premières victimes. La vie de ces femmes est souvent un enfer.

La sexualité dans les cités

La sexualité dans les cités a toujours été un sujet tabou et c'est précisément pour cela que c'est devenu un sujet central : le sexe fait désormais l'objet de toutes les conversations, de tous les fantasmes, mais sans repères et sans liberté.

Déjà lorsque j'étais adolescente, on n'en parlait pas avec les adultes et on n'abordait même pas les problèmes liés à la puberté, comme par exemple l'arrivée des règles. Une fille découvrait son corps et ses transformations seule. Heureusement, nous avions des cours d'éducation sexuelle au collège pendant lesquels nous pouvions poser des questions, entre deux fous rires. Une fois les règles survenues, la vie devenait plus dure pour les filles. La seule chose que la mère disait pouvait se résumer à « fini, les garçons » ! Une fille réglée ne pouvait plus traîner dehors, parce qu'elle y courait le risque de tomber enceinte. C'était le seul discours lié à leur sexualité que les filles entendaient. Le reste, tout ce qui était relatif à l'acte sexuel ou à la vie amoureuse, impossible d'en parler.

La misère sexuelle, source de violence

Vingt ans plus tard, la situation a empiré. L'éducation sexuelle dans les cités ne se fait presque plus qu'à travers les cassettes porno qui y circulent. Là encore, je suis convaincue que le rôle de l'Éducation nationale est primordial. Pour pallier les manques, l'école doit jouer un rôle moteur dans l'éducation au sens large des futurs citoyens. C'est pourquoi les cours d'éducation sexuelle dispensés dans les établissements scolaires doivent être élargis à la question du désir, du plaisir, de respect du partenaire, quel que soit le partenaire, et ne pas seulement traiter de la prévention du sida, même si c'est encore aujourd'hui extrêmement important.

Au-delà de la misère culturelle, une vraie misère sexuelle sévit dans les banlieues et cette frustration a nourri la violence. Pour séduire l'autre, construire une relation, il faut au moins parvenir à l'approcher, avoir un échange dans une atmosphère sereine. C'est devenu impossible dans les cités, où la mixité a disparu. La pression morale sur les filles y est incroyablement lourde et tout rapport amoureux est faussé. L'impératif de virginité pèse dans la vie quotidienne des filles, qui savent qu'elles n'ont pas intérêt à se faire déflorer sinon elles le paieront très cher. Une fille qui a « couché » voit sa réputation salie. Toute la cité est mise au courant et la jeune fille porte l'infamie comme une marque au fer rouge. Ce n'est pas une « fille bien » mais une fille facile, qui se fait traiter de « salope » et qui est traitée comme telle. Les mecs de la cité peuvent alors tout se permettre avec elle.

Dans un tel système relationnel, les histoires d'amour entre garçons et filles ne peuvent qu'être bancales, pleines de malaises et de préjugés. Ce qui devrait être une relation naturelle, spontanée, est vécu comme une transgression, un « péché » susceptible d'entraîner une sanction du tribunal social. Avec en prime le rejet des autres et la menace d'une sanction divine ! Les relations amoureuses ont du mal à s'épanouir dans les cités. Du côté des garçons, vivre une relation amoureuse n'est pas simple non plus. Un garçon amoureux – on dit « quécro » – est considéré comme un « bouffon » par les autres et il fait donc tout pour le cacher. Dans la tribu masculine, les sentiments sont en effet perçus comme des signes de faiblesse, seules priment les valeurs viriles. Un garçon amoureux peut être très tendre avec sa copine dans l'intimité et la traiter comme une moins que rien en public. Pour une fille, sortir avec un garçon appartenant à une bande peut vite devenir un enfer, car les autres garçons s'en mêlent toujours.

J'ai pu percevoir cette transformation lors de discussions en tête à tête avec des jeunes garçons. Seuls, ils savent être calmes, doux, attentifs. Certains peuvent faire des déclarations extraordinaires, réciter des poèmes, écrire des lettres qui ressemblent à de l'Alfred de Musset en langage de banlieue ! Mais dès que des copains les rejoignent, ils se métamorphosent : ils changent de langage et d'attitude face aux filles et intègrent immédiatement la violence comme mode d'expression. Quand les hommes sont en groupe, l'agressivité reprend le dessus. Un garçon va aussi éviter de sortir avec les sœurs de ses copains parce qu'une telle relation serait vécue comme une trahison. On a parfois des histoires de type Roméo et Juliette au bas des tours : une fille et un garçon d'un même quartier, élevés ensemble, qui tombent amoureux l'un de l'autre mais qui ne peuvent pas vivre leur histoire parce que le garçon ne peut pas faire « ça » à son pote.

Pour montrer leur conformité au modèle « macho », les garçons jouent les durs et se vantent de « consommer de la meuf ». Il y en a bien sûr qui ne partagent pas ce modèle mais, pour avoir la paix, ils affichent un comportement identique. Un flirt ne dure donc jamais bien longtemps. Les plus durs des durs considèrent les filles comme des objets, qu'ils peuvent se passer les uns aux autres. Certains vont même jusqu'à « partager » leur copine et mettre en place de véritables pièges pour être bien vus du groupe. Ce sont les phénomènes de « tournantes », nouveau terme pour désigner les viols collectifs, accompagnés parfois d'actes de barbarie. Samira Bellil l'explique très bien dans son livre et nous avons également recueilli, au moment de la Marche, certains témoignages terribles, comme celui d'une proviseur de collège, qui nous a raconté qu'il y a quelques années deux de ses élèves étaient morts la même nuit, le frère et la sœur. Le garçon avait quinze ans, sa sœur treize. « Ce soir-là, nous a-t-elle expliqué, des copains sont venus le chercher chez lui, ils organisaient une tournante, dans un baraquement pas très loin. C'étaient des mecs d'un autre quartier, qu'il ne connaissait pas très bien, mais il les a suivis. Quand ils sont arrivés sur les lieux, le viol avait déjà commencé. Et c'était sa sœur. Alors, il a perdu pied, il est rentré chez ses parents, il a pris l'arme de son père, il est retourné sur place, il a tiré sur tout le monde, sa sœur en premier, les autres ensuite. Puis, il a retourné l'arme contre lui [1]. » Mais ne nous cachons pas la vérité : les viols collectifs ne sont pas nouveaux et n'arrivent pas seulement dans les cités. Ils existent aussi dans les beaux quartiers, mais on en parle moins.

Dans les banlieues, une histoire d'amour n'est donc jamais simple à vivre. On ne voit jamais de couples enlacés au pied des tours. Les filles comme les garçons en souffrent énormément. Les jeunes des cités crèvent d'amour, de manque de considération et de respect. C'est très perceptible dans la culture rap. Au départ, cette musique et cette danse, avec leur phraséologie et leur gestuelle « machos », peuvent paraître très dures. D'autant qu'on a pu observer une vraie dérive machiste dans cette culture rap, où la présence féminine n'était tolérée que dans les chœurs ou dans des clips douteux. Mais quand on écoute attentivement les paroles, on comprend que ces gamins ont tout simplement envie d'être aimés et que trop de choses pèsent sur leurs épaules. Par ailleurs, même si ce n'est pas facile pour des filles d'émerger dans ce milieu, Princess Aniès, Diam's et bien d'autres contribuent, grâce à la qualité de leur travail d'artistes, à faire évoluer le rap dans le bon sens.

---

1. Témoignage issu du *Livre blanc des femmes des quartiers*.

L'obligation de virginité et les stratégies de contournement des filles

Pour pouvoir vivre leur vie sentimentale, les filles se débrouillent comme elles peuvent. En général, elles évitent de sortir avec un garçon de la cité et vont chercher ailleurs, mais la relation doit alors demeurer cachée. Elles n'ont plus qu'une seule devise : « *Pour vivre heureuses, vivons cachées.* » Tout flirt doit demeurer secret. Même à l'extérieur de la cité, se montrer main dans la main avec un homme, c'est s'exposer à des risques.

Nous avons eu de nombreux témoignages de cet enfer à la Maison des potes. Des histoires de frère qui règle son compte au garçon puis passe à tabac sa sœur. Ensuite, pour bien vérifier que la fille n'a pas « fauté », le père fait établir un certificat de virginité. Cela paraît d'un autre âge, mais c'est une réalité amère. Dans les quartiers, aujourd'hui, des médecins se sont spécialisés dans la rédaction de certificats de virginité. Certains le pratiquent par complaisance, mais la plupart le font surtout parce qu'ils savent qu'établir de faux certificats de virginité est le seul moyen de sauver les filles de représailles qui peuvent être terribles. Cette vérification ne permet pas pour autant d'absoudre complètement la jeune femme. Elle devra payer, tout comme sa mère à qui revenait la tâche de la surveiller. Ce sont alors les coups, la réclusion à la maison et parfois le renvoi au « bled » ou un mariage forcé. Les hommes de la famille mettent tout en œuvre pour « sauver l'honneur » de la famille et de son nom.

La punition peut aller jusqu'au cas extrême du meurtre.

Car l'obligation de virginité tue des filles dans les cités. Au sens propre comme au figuré, parce qu'elle étouffe aussi toute liberté. L'hymen est devenu le symbole d'un corps réservé, sur lequel se joue l'honneur d'une famille, d'une communauté. Les hommes se sont approprié le corps des filles, en sont devenus les geôliers. Cela ne concerne pas que les filles d'origine immigrée : les filles françaises de souche en font aussi les frais. Les témoignages que nous avons recueillis lors de la « Marche des femmes contre le ghetto et pour l'égalité » nous ont montré que des jeunes filles françaises de souche vivent la même chose que leurs copines issues de l'immigration. Quand ces jeunes femmes sortent de chez elles, c'en est fini de leur liberté. À l'intérieur de la famille, elles peuvent peut-être discuter de sexualité, de leurs relations avec les garçons, mais lorsqu'elles franchissent le seuil de l'appartement familial, elles deviennent comme les autres filles et vivent exactement la même violence. Elles sont tout autant surveillées et subissent à l'identique le contrôle masculin et le tribunal communautaire. La condamnation sera tout aussi brutale si on apprend qu'elles sortent avec un garçon et qu'elles ont eu des relations sexuelles.

Une sexualité cachée et subie

Cette oppression vécue par les femmes a profondément changé les pratiques amoureuses et sexuelles. On a assisté à un véritable retour en arrière, les comportements machistes sont revenus en force à l'intérieur des couples. C'est un nouvel ordre moral qui sévit et prend les filles en otage. Cela n'empêche pas les relations sexuelles – de nombreuses filles, voilées ou pas, ont des relations sexuelles –, mais celles-ci ont lieu sous certaines contraintes. Comme elles doivent rester vierges pour préserver l'honneur de la famille et du quartier en général, les jeunes filles sont obligées de vivre une sexualité cachée, qui passe malheureusement souvent, surtout dans les premières relations, par la sodomie. Si j'emploie le mot « malheureusement », ce n'est pas par jugement moral, mais parce qu'elles le vivent très mal. Tous les témoignages recueillis dans le *Livre blanc* rédigé pour les États généraux nous l'ont montré.

C'est très dur d'entendre une jeune fille de seize ou dix-sept ans, très amoureuse de son copain, nous parler de sa crainte de voir son mec la laisser tomber si elle ne veut pas faire l'amour avec lui. C'est contradictoire, mais c'est aussi ça la vie dans les cités. La plupart des filles acceptent d'avoir des relations sexuelles à condition de préserver leur virginité et se font régulièrement sodomiser. Elles nous racontent qu'elles n'ont pas de plaisir dans cette sexualité qu'elles vivent comme une contrainte. Elles ne font que satisfaire le désir de leur copain en se soumettant.

Elles subissent pour se conformer à un modèle – rester vierge jusqu'au mariage – et au désir masculin. Mais sans plaisir, ces rapports deviennent vite insupportables. Quand elles parviennent à nous en parler, en tête à tête, elles sont en larmes. Et dans leurs confidences, on entend un cri, une plainte indicible : leur impossibilité à vivre avec cette virginité sans laquelle elles ne sont plus rien.

Le plus dur, c'est qu'elles savent qu'une telle soumission n'empêchera pas le jeune homme de les laisser tomber. Tout chagrin d'amour est douloureux, en particulier à l'adolescence, mais pour ces filles, le fait d'être quittées apparaît d'autant plus violent qu'elles ont l'impression d'avoir été jusqu'au bout de l'admissible, du supportable. Elles se disent qu'elles ont tout donné et qu'en fin de compte le mec s'est fichu d'elles. Alors elles se marient de plus en plus jeunes, vers dix-sept, dix-huit ans avec l'espoir d'être plus libres en sortant du cercle familial. Elles ne font qu'échapper à une contrainte pour en subir une autre : on les retrouve souvent, à vingt et un, vingt-deux ans, divorcées avec un gamin qu'elles élèvent seules.

L'écart qu'il peut y avoir entre ma génération et la leur me paraît vertigineux. Nous nous sommes battues pour avoir le droit de vivre notre sexualité. Même si le sujet était tabou, les relations que nous avions avec nos copains étaient tacitement acceptées dans les familles. Tout le monde le savait, mais cela faisait partie des non-dits.

La dérive des quartiers vers le ghetto

J'ai de plus en plus le sentiment que nos banlieues sont entrées dans un cycle de décomposition sociale et politique avancé. Le phénomène ne date pas d'hier mais il s'est amplifié avec la crise économique.

Les quartiers, abandonnés par l'État

Cette dérive est directement liée à la paupérisation des quartiers. Car les banlieues sont passées totalement à côté de la reprise du milieu des années 1990. Alors que le chômage décroissait et que les Français voyaient leur pouvoir d'achat augmenter, les habitants des quartiers sont restés hors circuit et se sont enfoncés un peu plus encore dans la pauvreté. Ceux qui arrivaient à s'en sortir s'empressaient de déménager. C'était souvent des familles françaises, qui ont été remplacées par des vagues d'immigration successives, les Maghrébins d'abord, puis ces dernières années les Turcs et les Africains. Au lieu de réagir, les pouvoirs publics ont continué leur politique de ségrégation sociale. Ils ont ainsi aggravé la relégation des immigrés et accentué la pauvreté de ces quartiers. Les maires comme les offices HLM ont renoncé à faire de la vraie mixité sociale en banlieue, à l'impulser en particulier dans les logements sociaux. Avec toutes les conséquences que cela peut avoir ! Ségrégation, relégation, pauvreté, délabrement, départs des mieux lotis... le cercle vicieux pouvait continuer à fonctionner.

L'impression d'enfermement s'est accrue avec le reflux de l'éducation populaire. Alors que le secteur associatif était en crise, les pouvoirs publics ont mené une politique systématique de réduction du nombre d'éducateurs dans les quartiers. La différence avec mon époque est frappante. Je suis pourtant née également dans un quartier composé d'environ 90 % d'immigrés algériens et 10 % de familles françaises, qui s'entendaient très bien les uns avec les autres. L'éducation des enfants était très stricte et reposait sur le respect des adultes. Dans nos cités, il existait aussi des infrastructures publiques, une éducation populaire, un patronage associatif ; les jeunes de ma génération y avaient accès et étaient pris en charge, encadrés. Les éducateurs de rue étaient aussi physiquement très présents dans la cité ; ils faisaient un vrai travail, se déplaçaient dans les familles. Et puis, après l'élection de François Mitterrand en 1981, une multitude d'associations créées par les immigrés eux-mêmes ont vu le jour. Cet essor a constitué un apport extraordinaire au mouvement associatif. Il a permis de développer des activités culturelles dans les cités et d'aider à renforcer la cohésion sociale en facilitant l'intégration républicaine.

Mais peu à peu, l'État a réduit le nombre d'éducateurs, a supprimé le service public dans certaines cités, s'est désengagé des quartiers. Quant aux associations, elles doivent désormais accomplir un véritable parcours du combattant pour obtenir des financements car les dossiers sont devenus extrêmement complexes et les délais de mise en paiement très longs. Du coup, de très nombreuses associations de quartiers ont jeté l'éponge, faute de réels soutiens. Les militants et les habitants des quartiers, voyant la situation se dégrader, ont alerté les pouvoirs publics, locaux comme nationaux, mais ceux-ci n'ont pas voulu se donner les moyens humains et financiers de contrecarrer cette dégradation. Ils avaient pourtant la possibilité de faire stopper les pratiques discriminatoires dans le domaine du logement et de relancer la mixité sociale et ethnique des cités. Et d'entamer une politique de création d'emplois d'éducateurs pour recréer du lien social. Malgré quelques mesures prises dans le cadre de la politique de la ville, qui ont eu peu d'effets dans la vie des habitants des cités, les politiques n'avaient pas mesuré l'ampleur du chantier ou alors très mal. Certaines organisations et associations réclamaient déjà depuis quelque temps un « plan Marshall » pour les quartiers, afin que les choses changent réellement pour les habitants et que l'on règle définitivement ce que l'on a appelé pudiquement à l'époque

« le malaise des banlieues ». Mais ces signaux d'alarme n'ont pas été entendus, ou si peu.

Les garçons des quartiers : entre amertume, pragmatisme et cynisme

Face à cette dégradation, les mots pour parler des banlieues ont changé. Dans les années 1980, on parlait du malaise des banlieues ; aujourd'hui de dérive et de ghettoïsation. C'est un signe que la situation s'est profondément modifiée. Et cette mutation est flagrante dans le discours des jeunes. La désertification culturelle et sociale s'est jouée dans un contexte de chômage accru pour les jeunes des quartiers. La croissance a laissé de côté les banlieues. Cette exclusion de l'embellie a renforcé une forme de rejet de la République, vécue comme n'intégrant pas tous ses enfants. Une grande majorité des garçons des cités – c'est moins vrai pour les filles, parce qu'elles ont l'habitude de se battre depuis l'enfance – ont ressenti un immense sentiment d'injustice, de rejet de la société française, qui a été vécu dramatiquement.

Dans toutes les discussions que j'ai pu avoir avec des garçons, notamment ceux qui ont entre onze ans et vingt-cinq ans, le même discours revient, lancinant. Ils s'estiment toujours « parqués » dans des cités. À leurs yeux, les politiques, droite et gauche confondues, les ont lâchés. Alors pour survivre, certains d'entre eux s'organisent à leur manière. Ils expliquent très simplement comment certains basculent dans des économies parallèles à l'intérieur des cités, seul moyen de gagner de l'argent facilement, d'avoir un rôle social et d'exister. Il ne faut pas se tromper : l'économie parallèle joue un rôle certain en termes de reconnaissance sociale pour des gens qui n'ont pas d'autres normes que la loi du silence, la loi du plus fort. Les gamins sont très admiratifs de ces mecs investis dans des trafics divers (drogue, fringues ou gros matériel « tombé des camions », comme ils disent) et qui rapportent de l'argent à la maison. Pas étonnant que des films comme *Le Parrain* ou *Scarface* soient devenus des films cultes pour eux. À l'identique des jeunes des ghettos américains.

Le bilan de nos batailles, à nous militants beurs des années 1980, a été tiré par ces jeunes de la troisième génération. Pour eux, nous avons longtemps été un exemple. Mais aujourd'hui, ils ont un jugement très dur sur notre expérience. Combien de fois ai-je participé à des réunions au cours desquelles ils nous faisaient remarquer que certes nous avions lutté, réclamé des droits, mais qu'en retour les politiques ne nous avaient parlé que de nos devoirs, et en particulier de notre devoir de nous intégrer. Et c'est à la même injonction qu'ils sont confrontés, eux aussi, qui sont pourtant nés ici, parfois de parents devenus Français ! Ils pensent que nous nous sommes battus pour pas grand-chose, que nous n'avons presque rien obtenu. À leurs yeux, la preuve patente de cet échec, qu'ils nous renvoient sans cesse à la figure, est notre absence sur la scène politique. Ils nous reprochent d'avoir été pris sur des listes municipales comme les Blacks, les Rebeus ou les Beurettes de service. Mais sans avoir obtenu un quelconque poste qui nous permette d'être dans des lieux de décision, où nous pourrions effectivement changer la donne. C'est dur à entendre mais ils n'ont pas tout à fait tort, même si je pense qu'aujourd'hui les mentalités changent et évoluent dans le bon sens. À suivre…

Leur approche de la vie est beaucoup plus cynique, plus pragmatique, plus réaliste peut-être aussi que la nôtre. Ils sont nés dans un contexte dur et difficile de chômage de masse qui a laissé des traces dans les cellules familiales. Ils sont en quelque sorte une génération sacrifiée qui a oublié de se projeter dans l'avenir et d'avoir un idéal de société. Ce constat est bien sûr valable globalement pour l'ensemble de la jeunesse. Mais, dans les cités, il y a un effet de loupe, qui rend ce phénomène de dépolitisation beaucoup plus important et profond. Les jeunes n'y ont plus qu'une valeur en tête, l'argent, et qu'un seul moyen d'exister, le rapport de forces, la violence.

Pour s'en sortir et être respecté, il faut avoir des signes extérieurs de richesse. Dans les quartiers, c'est à cette aune qu'on est désormais jugé. « Avoir de la thune » est devenu la nouvelle norme. Pour notre génération, je l'ai dit, les notions de solidarité, de respect, les valeurs que nous avaient transmises nos parents, comptaient énormément. À mon époque, il était par exemple inimaginable de manquer de respect à son père ou à sa mère. La mère, en particulier, était intouchable : elle avait enfanté, élevé et, dans l'imaginaire collectif, s'était beaucoup sacrifiée pour l'éducation de ses enfants. Aujourd'hui, ce mythe a sauté : certains jeunes de la troisième génération s'en moquent complètement et manquent de respect à leur mère. Or, quand on touche à cette symbolique-là, tellement cruciale pour nous, le reste a très peu d'importance. Toutes les références morales explosent. Il n'est pas étonnant ensuite qu'ils manquent de respect à leurs propres sœurs ou, plus généralement, aux filles des cités.

Le processus de ghettoïsation en cours et ses répercussions sur le comportement des jeunes ressemblent étrangement à ce qui s'est passé aux États-Unis. Et c'est sciemment que j'emploie le terme de ghetto, utilisé d'ordinaire pour décrire une situation propre aux États-Unis, parce que le processus de dégradation dans les banlieues françaises s'est nourri des mêmes ingrédients. On retrouve dans ces quartiers la même pauvreté et la même misère sociale extrêmes. Parqués dans des quartiers pauvres, abandonnés par les politiques, les jeunes ont commencé à faire des trafics divers, à développer une économie parallèle et à adopter un seul mode d'expression, la violence, avec ses règlements de comptes, ses phénomènes de bande... Beaucoup de jeunes pensent qu'ils sont foutus. Ils ne croient plus à ce système qui a passé son temps à les exclure. Ils ne se projettent pas dans l'avenir, ils fonctionnent dans l'immédiat. Quand ces garçons m'expliquent qu'ils s'organisent entre eux parce qu'ils ne veulent pas s'insérer dans un système qui les a exclus, qu'il n'y a pas de raison qu'ils se battent pour participer à une société qui les rejette, je me dis que nous sommes en train de perdre la bataille de l'intégration républicaine. Et de bousiller des gamins qui se créent un univers propre, loin du cadre républicain. Ils sont certes minoritaires dans nos quartiers. Mais ils en pourrissent la vie en imposant leur modèle. Les autres hommes qui ne rentrent pas dans leur jeu se taisent.

Et on ne voit plus que cette minorité délinquante. Pourtant, il y a dans les cités de nombreux jeunes issus de l'immigration qui ont réussi à s'en sortir. Pour qui l'intégration et l'ascenseur social ont fonctionné. Et ceux-là pourraient être des leaders, une sorte d'élite qui donne l'exemple, montre la voie. Mais il faut pour cela qu'ils soient visibles ou qu'ils reviennent dans les cités. Car la plupart de ceux qui ont réussi à s'en sortir ont quitté leur quartier et n'y retournent pas. Il faut du courage pour revenir, pour comprendre qu'on est responsable des petits frères et des petites sœurs qu'on a laissés derrière et qui voudraient que les choses changent.

Depuis des années, les jeunes des banlieues ne voient plus rien venir pour changer leur monde. Ils ont vu le laisser-faire s'installer, les gens qui continuaient à être parqués. Cette situation de relégation a fait apparaître un système de fonctionnement mafieux, avec ses propres normes sociales et ses codes de conduite, qui a lui-même participé à l'émergence de ce fameux sentiment d'insécurité dont on a tant entendu parler pendant la dernière campagne présidentielle. Je considère cependant qu'il était nécessaire d'en parler, surtout dans ce contexte, parce que, après tout, les premières victimes de cette violence étaient bel et bien toutes ces personnes vivant dans les cités et devenues les otages de cette « minorité agissante ».

La ghettoïsation des quartiers

Cette dérive n'est pas récente. Son point de départ ne date pas, comme on l'a trop souvent lu, de l'épisode des Minguettes dans les années 1980, mais remonte à bien avant. Elle a commencé le jour où les primo-immigrants puis les pieds-noirs sont arrivés massivement en France. On a installé ces gens dans des logements de fortune, censés n'être que temporaires (les fameuses cités de « transit »). En fait, ces bidonvilles ont perduré des dizaines d'années et pas grand-chose n'a été fait pour les éradiquer. Bien sûr, il y a eu des réhabilitations, mais c'était une politique d'emplâtre sur une jambe de bois. Les autorités ont adopté la stratégie de l'autruche : ne rien faire, avec l'idée que ces étrangers allaient forcément repartir. Ils sont restés, et ces bidonvilles sont devenus des quartiers. Malgré l'incessante proclamation de l'attachement aux valeurs républicaines, à l'égalité, il n'y a jamais eu de réelle volonté politique de transformer cet habitat. On a traité ces populations par-dessus la jambe. S'il y avait eu une réelle volonté politique, les ghettos aujourd'hui n'existeraient pas.

L'organisation mafieuse dans les quartiers, dénoncée ces dernières années, existe réellement. Ce n'est pas du fantasme. Il y a des jeunes enrôlés dans des bandes organisées en mafias avec des chefs, des sous-chefs. On peut voir aujourd'hui des gamins de dix, douze ans payés à la commission pour surveiller l'arrivée des flics dans les cités et informer ceux qui trafiquent dix mètres plus loin. Comment fait-on après pour leur expliquer la valeur du travail ? Comment leur rappelle-t-on qu'il faut aller à l'école pour avoir un diplôme et pouvoir travailler ? C'est terrible. Et c'est cela la réalité quotidienne des cités aujourd'hui. Il ne faut pas se fier uniquement à la façade des HLM. Comme le disait déjà Harlem Désir en 1985 : « Il ne suffit pas de repeindre les cages d'escalier. » Certes, la politique de réhabilitation de l'habitat est une étape nécessaire, mais il ne faut pas laisser l'humain de côté. Et malgré les coups de peinture, le ghetto s'est créé et s'est aussi installé dans la tête des habitants de ces quartiers.

Aujourd'hui, on s'intéresse au sort des filles parce la situation est devenue extrêmement grave. Mais ce n'est que la pointe émergée d'un monstrueux iceberg. L'isolement et la violence se sont installés dans nos quartiers et les premières victimes en sont leurs habitants. Ma comparaison avec les ghettos américains peut paraître exagérée et abusive, si on s'en tient au visuel et au bâti. Mais quand on prend le temps d'observer réellement ce qui se passe dans nos banlieues, on y voit les mêmes dérives. Toutes proportions gardées, parce que les ghettos américains représentent des villes entières. Mais les mêmes causes provoquant les mêmes effets, c'est maintenant qu'il faut réagir et qu'il faut stopper cette escalade.

L'obscurantisme, élément clé de la régression du statut des filles

On entend très souvent parler, en France, de « l'islam des caves ». Il faut bien comprendre que cette expression, qui aujourd'hui désigne l'islam de l'ombre, de l'obscurantisme, désignait au départ l'islam de l'indifférence, de l'oubli. Celui que l'on a feint d'ignorer et qui encore aujourd'hui tâtonne à trouver sa place dans la République. Pourtant, la mosquée de Paris, cette belle construction architecturale, fut construite en 1928, ce qui prouve que lorsque la volonté existe et qu'elle est partagée par tous les acteurs, on peut avancer dans le bon sens. C'est d'ailleurs au cours d'un entretien avec Monsieur Dalil Boubakeur, Recteur de la mosquée de Paris, qui m'a reçue après la Marche, que j'ai découvert la magnificence des lieux. Comme tous les visiteurs, j'ai été charmée par cette atmosphère empreinte de sérénité. J'en garde d'autant plus un bon souvenir, que la rencontre avec le Recteur fut chaleureuse, fructueuse.

Monsieur Dalil Boubakeur nous a assuré de son soutien total et nous a encouragés dans le combat que nous menons.

L'émergence d'un nouvel islam, politique

Au départ, faute de moyens et de lieux de culte, les primo-immigrants ont aménagé des lieux de prière là où ils le pouvaient. Souvent, ce furent des locaux désaffectés ou bien des caves mises à disposition par les offices HLM. Parfois, comme par exemple pour la mosquée de Clermont-Ferrand, c'était l'Église catholique qui mettait à disposition un local pour la communauté musulmane. Et selon moi, c'est une piste que l'on aurait dû encourager, ne serait-ce que pour favoriser le dialogue entre les religions. Ces salles de prières fréquentées par nos parents étaient souvent aussi des espaces de socialisation. En effet, après la prière, les gens discutaient et il n'était pas rare que ce soit à ce moment-là que, par exemple, des solutions aux problèmes rencontrés par une famille soient envisagées collectivement. La solidarité était prégnante à cette époque, et la préoccupation première de l'ensemble des parents, dans ces quartiers, était la réussite scolaire de leurs enfants. L'instruction était pour nos parents une priorité et je me souviens que quand l'un d'entre nous obtenait un diplôme, c'était tout le quartier qui était en fête et fier. Madame Dufraisse, habitante du quartier depuis sa création, se pointait toujours avec ses fameuses tablettes de chocolat qu'elle distribuait comme autant de bons points. Et lorsqu'un « grand » ou une « grande » poursuivait des études universitaires, c'était comme une victoire que nous pouvions, nous les petits, nous approprier. En ce temps-là, l'inscription à la faculté était très recherchée mais tout de même réservée à une certaine élite, et nous ressentions une vraie joie quand quelqu'un du quartier perçait. Je me souviens à quel point un père que l'on surnommait « Bras cassé » – ouvrier en bâtiment, il avait eu un accident sur un chantier – était fier et heureux de voir sa fille, Yasmina, obtenir son bac et suivre de hautes études, qui l'ont emmenée jusqu'aux États-Unis. Aujourd'hui, elle poursuit une brillante carrière dans une grande entreprise française. Son père, comme beaucoup d'autres, a fait des sacrifices pour offrir un avenir meilleur à ses enfants. C'est dans cette ambiance-là que j'ai baigné jusqu'à la fin des années 1980, moment à partir duquel nos banlieues ont commencé à dériver, où le chômage est devenu le sort le plus partagé. Peu à peu, tous les repères, toutes les digues, ont commencé à sauter. Et c'est dans ce vide social que l'obscurantisme a plongé ses racines.

On a ainsi vu apparaître, dans les années 1990, un courant islamique intégriste, qui s'est développé dans le sillage des Frères musulmans avec de très mauvaises interprétations du Coran et, comme par hasard, de très mauvaises lectures du statut des femmes dans les textes sacrés. En France, en particulier, ces prédicateurs rétrogrades que l'on appelle les « imams des caves » ont développé une lecture politique, très machiste, d'enfermement de l'individu. Pour comprendre comment l'islam des caves a pu se diffuser et exercer une telle emprise dans les quartiers, il faut savoir qu'au moment où il a émergé, de nombreux jeunes des cités étaient en plein désarroi, confrontés à l'échec scolaire, au chômage, aux discriminations. Ils portaient tous les stigmates des banlieues avec l'impression qu'ils ne s'en sortiraient pas. Dans leurs recherches de repères identitaires, une des seules réponses qu'ils ont trouvée, c'est cet islam radical. Au départ, tout le monde était rassuré qu'ils aient trouvé un cadre, des références qui tranchaient avec celles de la sacralisation de l'argent et de la « débrouille ». L'islam était devenu une nouvelle morale régulatrice qui évitait à ces jeunes désœuvrés de basculer dans la délinquance. Ainsi, assez subitement dans les années 1990-1995, ces imams radicaux sont devenus une référence dans certaines cités. Les pouvoirs locaux, les élus des collectivités territoriales et notamment les maires, de toutes tendances politiques, les ont reconnus et installés comme interlocuteurs privilégiés. Cela a été terrible pour les militants de ma génération qui refusaient que le « religieux » s'occupe des affaires publiques. Nous savions le danger que cela pouvait comporter d'une manière générale, mais en particulier pour le statut des filles. Ce qui par ailleurs s'applique à tous les extrémistes religieux, qu'ils soient catholiques ou juifs. Soudainement, nous qui avions toujours milité et qui nous étions toujours battus pour la liberté des individus, quel que soit leur sexe, en tenant un discours universaliste, avons été marginalisés de la vie de la cité. Pour les politiques, nous n'étions plus les références ou les interlocuteurs potentiels mais des emmerdeurs qui se battaient contre l'influence des imams. Dès lors, quand il y avait un problème dans une cité, on allait chercher pour le régler, non plus l'éducateur ou l'animateur de quartier ou encore les militants associatifs laïcs, mais l'imam du coin.

Les pouvoirs publics ont commencé à traiter directement avec ces religieux ou avec des jeunes entrés dans leur mouvance : ils étaient devenus de nouveaux leaders d'opinion avec qui on pouvait dialoguer, discuter. L'imam s'est métamorphosé en nouveau régulateur social. Reconnu à l'extérieur, son autorité s'est renforcée dans les cités. Les parents pensaient que c'était bien que les jeunes aillent prier plutôt que de traîner ou d'aller chercher des embrouilles. Mais ce que professaient ces religieux n'avait rien à voir avec l'islam tranquille de nos parents, cette religion de tolérance. Dans certaines familles, l'influence néfaste de l'islam des caves a malheureusement fait exploser la cellule familiale. Des disputes ont éclaté entre les parents, qui ne comprenaient pas cette pratique radicale et dangereuse, et les enfants, qui reprochaient à leurs parents leur « ignorance » (à la fois leur analphabétisme et leur connaissance trop peu rigoureuse, selon eux, du Coran).

S'appuyant sur des facteurs comme le chômage, la ghettoïsation des cités, le repli communautaire et ses dérives racistes et antisémites, les discriminations, le sentiment d'injustice..., cet islam des caves et sa propagande religieuse intolérante ont donné aux garçons un cadre théorique et des outils pour opprimer les filles. Celles qui ne rentraient pas dans le moule se sont fait traiter de « mécréantes » ou de « mauvaises femmes » : les termes ne doivent rien au hasard mais bien à la prégnance du discours religieux. Son influence est beaucoup plus importante qu'on ne le croit.

À partir du moment où ces imams se sont implantés dans un bon nombre de cités, on a vu un certain nombre de garçons adopter des comportements radicaux par rapport aux filles, notamment en voulant les faire rentrer à la maison. Et on a commencé à perdre le combat de la mixité. Cette minorité agissante qui s'est développée autour de l'islam des caves s'organise. Elle a ses maisons d'édition, ses relais ici et ailleurs, ses intellectuels, ses agences de communication. Rien n'est laissé au hasard. Et le pire, c'est qu'elle trouve des points d'appui sur des décisions de justice comme l'arrêt du Conseil d'État à propos du foulard. Ou encore, dans la décision d'invalider un licenciement sous prétexte que le port du voile n'est pas incompatible avec l'exercice d'un travail. Alors qu'en revanche le port d'un bermuda l'est.

Dans cette confusion, je m'interroge. D'autant que cette minorité active n'est pas la seule à vouloir occuper le terrain. Aujourd'hui, nous assistons à un renouveau de l'ordre moral au niveau international et notre pays n'est pas épargné. Ici ce sont les commandos de catholiques intégristes qui empêchent les IVG, là ce sont les associations cultuelles juives ou musulmanes qui réclament l'aménagement d'horaires spéciaux pour les piscines, et j'en passe. Partout, la République est testée dans sa capacité à résister.

Le voile, symbole de l'oppression féminine

L'affaire du voile est l'illustration la plus visible et symptomatique de cette dérive obscurantiste. Quand, à la fin des années 1980, le phénomène est apparu avec les premières tensions à l'école autour d'une poignée de filles qui sont venues voilées dans l'enceinte scolaire, j'ai fait partie de ceux qui disaient qu'il ne fallait pas les exclure. Notre raisonnement était simple : ces filles sont sous la pression familiale ; pour les aider à s'en extraire, il est préférable de les garder à l'école. Nous voulions parier sur l'école républicaine pour qu'elles arrivent à trouver les moyens d'imposer leur choix de vie et refuser ensuite le voile. L'avis du Conseil d'État, en 1989, qui autorisait les signes religieux à condition qu'ils ne soient pas ostentatoires et qu'ils n'apparaissent pas comme du prosélytisme, nous apparaissait juste et balancé. Il permettait à ces jeunes filles, malgré la pression, de pouvoir continuer à aller à l'école, seul lieu, pour elles, d'émancipation possible. Malheureusement, dix ans après, c'est un échec. Car l'école n'a pas su leur transmettre les outils d'émancipation leur permettant de se définir dans l'espace commun que nous partageons, chacun avec ses spécificités, dans le respect de la laïcité.

À mes yeux, il est urgent de revenir aux textes légaux et d'appliquer l'interdiction des signes religieux dans les sphères publiques comme l'école. Pour moi, la laïcité a toujours été la liberté de pouvoir pratiquer sa religion dans le respect de la République, de ses valeurs et, bien évidemment, dans un cadre précis.

Il est urgent que les jeunes comprennent que le combat pour la laïcité de la République, qui a été mené depuis la Révolution française jusqu'à aujourd'hui, a été une dure bataille, qu'il y a eu des morts pour que chacun puisse exister dans le respect. L'État, garant de la laïcité, doit assurer la pérennité de ses valeurs fondatrices et assumer ses responsabilités, à l'école comme ailleurs. Avec les deux circulaires qui encadrent les pratiques religieuses dans l'Éducation nationale (de Lionel Jospin et de François Bayrou), les textes existent déjà. Cette fermeté doit s'appliquer à tous les services publics, comme autant de lieux qui doivent rester neutres. Tous, pratiquants ou pas, nous nous devons de les respecter

Je ne pense pas que cette réaffirmation de la règle commune doive passer par une loi et qu'il soit judicieux de légiférer à nouveau sur un thème si sensible. Je fais plutôt le pari de l'intelligence : c'est à force de discussions qu'on arrive aussi à convaincre les gens. Sinon, on risque de radicaliser les uns et les autres. Il faut également faire attention à ne pas focaliser l'attention de l'opinion publique uniquement sur la question du voile car il ne faut pas oublier les autres problèmes, sociaux en particulier. Le port du voile est devenu pour certains un nouvel argument politique permettant de stigmatiser les musulmans et les banlieues. Les partisans d'une nouvelle loi sur la laïcité ne se rendent pas compte de l'impact qu'un tel débat va avoir dans nos cités. Les réactions des jeunes risquent d'être terribles. Ils vont encore une fois se sentir visés parce qu'on touchera à l'islam, et ils le percevront comme une preuve supplémentaire que la société française ne veut pas de ces citoyens-là. Il est alors probable que ce ne sera plus des voiles qu'on imposera à certaines femmes mais des burqas. On verra fleurir les barbes comme autant de signes d'appartenance à une religion vécue comme menacée. Et on aura obtenu l'effet inverse d'une cohabitation sereine de différentes religions dans le respect de notre cadre laïc commun.

Ce serait par ailleurs une erreur de ne voir dans le voile qu'une question religieuse. Rappelons que c'est d'abord un outil d'oppression, d'aliénation, de discrimination, un instrument de pouvoir des hommes sur les femmes : comme par hasard, ce ne sont pas les hommes qui portent le voile. Il faut redire aux jeunes qu'on peut être musulmane aujourd'hui sans porter le voile. Je suis pratiquante et je ne l'ai jamais porté, pas plus que ma mère avant moi. Ma grand-mère non plus. Pour contrer les discours des imams dans les banlieues, il est urgent qu'on entende les voix d'intellectuels comme Malek Chebel et bien d'autres. Que l'on se souvienne que des femmes – soutenues par des hommes qui partagent ce combat pour la liberté – se battent tous les jours dans certains pays musulmans pour ne pas être obligées de le porter. Notamment en Algérie, où elles l'ont payé très cher.

Ces voix sont d'autant plus pertinentes à entendre qu'elles portent en elles l'islam vécu et pratiqué par la grande majorité « silencieuse ». L'histoire liée à la civilisation musulmane nous apprend combien ses apports ont compté pour le progrès de l'humanité. Nombre de spécialistes de tous bords apportent à travers leurs écrits un éclairage éloquent sur les sciences, la poésie et l'art de la civilisation musulmane, qui ont eu une importance capitale. Le raffinement poussé à l'extrême de ces sociétés musulmanes a influencé fortement les sociétés occidentales et c'est dans l'échange de savoirs que l'évolution du monde s'est faite. Aussi, il m'est difficile d'accepter ces relents islamophobes qui ont émergé après le 11 septembre 2001. Comme beaucoup, j'ai été bouleversée par ce drame horrible, que je considère être un drame pour l'humanité. L'obscurantisme tue aveuglément partout dans le monde et il est urgent de réagir et de le combattre. Nous sommes tous concernés par ces actes innommables. Mais, pour autant, faut-il que cela pèse sur toute la communauté musulmane ? Non, bien sûr ! Heureusement que la grande majorité d'hommes et de femmes épris de justice et de liberté n'ont pas commis l'erreur de « l'amalgame ». Pourtant, malheureusement, les tentatives de stigmatisation n'ont pas manqué.

Ainsi, quelle ne tut pas ma surprise quand Oriana Fallaci – journaliste de renom et militante des droits de l'homme – fit paraître, dans le sillage des attentats aux États-Unis, son ouvrage intitulé *La Rage et l'Orgueil*, qui n'est rien d'autre qu'une condamnation sans appel de la communauté musulmane dans son ensemble. Il m'a été difficile d'admettre qu'une telle femme soit capable d'une telle infamie. Connue pour son combat contre le fascisme, qu'elle avait mené avec son père en Italie notamment, Oriana Fallaci fait autorité dans le monde entier pour cet engagement. Ma blessure en fut d'autant plus grande. Cette grande dame aurait-elle été victime de son aveuglement ? Pourtant, je ne lui trouve aucune excuse et je me suis permis de le lui faire savoir[1].

J'ai toujours considéré que chacun d'entre nous est responsable de ses actes. Aussi, concernant cette question du voile qui fait beaucoup parler, je pense qu'il est vraiment nécessaire de l'aborder sereinement, sans passions excessives. Pour garder la tête froide dans ce débat, il faut enfin comprendre que dans la communauté musulmane, depuis la mort du Prophète, il y a toujours eu débat autour de cette recommandation de porter le voile. Ce n'est pas moi qui vais trancher cette discussion théologique sur l'interprétation du Coran et ses préconisations. Je n'ai pas cette prétention. Pour ma part, je préfère que les filles portent le bonnet phrygien plutôt que le voile. Je reste convaincue que c'est dans le cadre d'une république laïque que nous aurons la garantie d'exister librement dans le respect des uns des autres.

1. Voir la *Lettre ouverte à Oriana Fallaci*, en Annexe 1.

Deuxième partie

Le sursaut salutaire : la Marche et le succès rencontré

La préparation de la Marche, premières initiatives

Cela faisait longtemps qu'on tirait la sonnette d'alarme à la Maison des potes sur cette violence qui montait. Déjà en 1994, quand j'étais à Clermont-Ferrand, chaque fois qu'on rencontrait le maire, on lui exposait le problème. On savait que si rien n'était fait pour enrayer ce processus, on allait aboutir à une catastrophe : une violence sociale permanente et vécue par l'ensemble des gens qui habitent les cités, mais surtout par les garçons, victimes des plus forts préjugés. Régulièrement dépeints par les médias comme une « minorité agissante », responsable de la violence, jamais on n'entend dire que la majorité de ces garçons tente coûte que coûte de se battre pour exister dans notre société. On a beaucoup de jeunes dans les quartiers qui, à cause de la façon dont on les regarde, ont des réactions négatives, violentes. Ils ont l'impression qu'ils sont foutus quoi qu'ils fassent et que la seule issue pour eux c'est la violence. Qui s'exerce dans la domination des plus faibles, c'est-à-dire en premier lieu des filles.

Les premières actions en faveur des femmes

À la Maison des potes de Clermont-Ferrand, nous avons mis en place, en 1989, une Commission femmes. J'en ai été désignée responsable parce que je connaissais bien la situation des filles dans les cités, pour l'avoir moi-même vécue quelques années plus tôt. Dans le cadre de cette commission, nous avons voulu prendre à bras-le-corps les problèmes liés à l'absence de liberté de mouvement que rencontraient les filles dans les cités. Nous avons dû aussi gérer des situations délicates : des Beurettes en rupture familiale, des filles qui tombaient enceintes... Ces situations étaient très dures pour l'époque, mais ce n'était que le début et les choses ont ensuite empiré. La plupart des filles que je recevais lors de nos permanences, je les connaissais depuis qu'elles étaient toutes petites. C'était dur d'entendre une gamine que j'avais vue grandir raconter qu'elle était enceinte et de voir la peur panique que cela engendrait chez elle. J'en ai beaucoup voulu aux associations et à l'Éducation nationale de ne pas avoir vu émerger le problème de la sexualité dans les cités et dans les familles, où rien n'était évoqué.

Ce que j'ai commencé à percevoir et qui m'a fait très peur, c'est qu'on allait bientôt voir arriver les passages à l'acte. Il était devenu évident pour nous, même si on n'avait pas fait des années d'études, qu'à un moment donné cette escalade de la violence allait atteindre un point extrême. Qu'on n'allait pas en rester aux interdictions de sorties, ni même aux insultes ou aux « bousculeries ». Avec les autres membres de la Commission femmes, nous dénoncions ce processus d'escalade de la violence mais sans savoir comment faire pour l'arrêter, parce que nous n'avions pas les moyens pour le combattre.

Alors nous avons continué à essayer de mettre en place nos activités en direction des filles et des femmes. Nous étions aidés par la mairie de Clermont-Ferrand et la secrétaire d'État aux droits des femmes du gouvernement Rocard, Michèle André, qui nous a entendues, et par l'incontournable Michel Charasse, qui a toujours été là dans les moments difficiles. Mais, en même temps, nous étions conscientes que cela ne suffisait pas. Qu'on ne pouvait pas agir sur cette violence tant qu'on n'arrêterait pas ce processus de ghettoïsation. Qu'il fallait mettre en œuvre une vraie politique, avec des moyens conséquents, pour décloisonner les cités et mixer les populations, socialement et ethniquement. Nous étions convaincus que, depuis qu'on parlait du malaise des banlieues dans les années 1980, depuis les événements survenus aux Minguettes qui avaient abouti notamment à la Marche des Beurs, l'objectif n'avait pas changé : casser les ghettos était le seul moyen de régler une partie des problèmes de violence. Si on avait été entendus à l'époque, peut-être que la situation n'aurait pas dégénéré à ce point.

Les premiers passages à l'acte ont été étouffés, on n'en a pas entendu parler ou si peu. Mais nous, nous les avions déjà repérés. Il y a eu des enlèvements et renvois dans le pays d'origine, des mariages forcés et même des assassinats de filles « perdues ». On a tenté d'alerter les autorités publiques, les politiques, mais personne n'a écouté. Puis, en novembre 2002, il y a eu Sohane, cette jeune fille de dix-huit ans brûlée vive par un garçon dans un local à poubelles de la cité Balzac, à Vitry-sur-Seine. Amoureux éconduit ou « embrouille » entre jeunes : le mobile n'a pas été clairement établi, mais le meurtre a provoqué un électrochoc dans l'opinion publique. Une marche silencieuse s'est déroulée quelques jours après, qui a réuni de très nombreux jeunes des quartiers venus rendre hommage à Sohane et dire « stop » à la montée de la violence. C'est également suite à ce drame qu'un collectif « Féminin-Masculin », destiné à promouvoir le respect des femmes dans les cités, s'est constitué en juin 2003. Le meurtre de Sohane a donc constitué un tournant, mais nous avions déjà pris conscience de la gravité de la situation et commencé à réagir bien avant.

Quand je suis arrivée dans l'équipe nationale de la Fédération des Maisons des potes, en 2000, mandatée comme responsable de la Commission nationale des femmes, j'ai beaucoup poussé pour que nous fassions de la question des femmes une de nos campagnes nationales. J'ai d'ailleurs été élue présidente de la Fédération des Maisons des potes, en décembre 2000, sur la base d'un projet : axer quasiment tout notre travail sur la question des femmes. J'étais convaincue que le fait d'aborder en premier lieu la question de la situation des filles permettait d'intervenir sur tous les paramètres de ce qu'on appelait le « malaise des banlieues ». L'attaquer sous l'angle des femmes, c'était poser le cadre politique. C'était simplement une nouvelle façon de l'aborder. On ne parlait plus d'un malaise impalpable, diffus, irrationnel mais d'individus, de filles en situation de détresse extrême. Nous avions déjà eu de nombreuses discussions avec Malek Boutih, quand il était président de SOS Racisme, qui a d'ailleurs été une des premières personnes à nous soutenir activement. Nous avions bien perçu qu'au-delà des actions que nous menions pour renforcer la cohésion sociale, favoriser l'intégration républicaine, il y avait un souci sur la question des femmes. À partir de l'année 2000, nous avons donc commencé à mettre en place des Commissions femmes un peu partout dans les Maisons des potes et associations affiliées, sur tout le territoire national.

Mais les équipes étaient restreintes et les autres activités prenaient aussi du temps. J'ai senti que cela ne suffisait pas, qu'il fallait frapper plus fort. C'est là que nous avons décidé d'organiser un séminaire de formation des femmes des quartiers sur le féminisme et son histoire. Pour moi, il n'était pas envisageable d'engager une campagne si les premières concernées, les femmes et les filles des cités, ne savaient pas de quoi on parlait. Il fallait leur expliquer que nous étions héritières des acquis du mouvement féministe. L'enjeu était de taille, car dans les cités les filles n'en ont rien à faire ! Pour elles, le féminisme n'a aucun sens. Aller parler du droit de choisir sa vie, de contraception, d'indépendance financière dans les quartiers, c'est lunaire !

L'urgence était pourtant de leur faire prendre conscience de tous ces combats passés ; il fallait qu'elles se les approprient. En juin 2000, dans le local de la Fédération des Maisons des potes à Paris, s'est donc tenu ce séminaire de formation sur le féminisme, qui a été un succès : quatre-vingts personnes d'un peu partout, de toutes générations et de toutes origines, garçons et filles, y ont assisté. Nous avions préparé un dossier de quatre cents pages, qui retraçait l'historique du féminisme, depuis les suffragettes jusqu'aux manifestations et pétitions pour l'avortement, en passant par les luttes aux États-Unis. Nous nous sommes alors rendu compte à quel point la demande était forte : c'était la première fois qu'il y avait autant de gens présents à l'une de nos réunions. Pour nos militants, cette histoire des luttes féministes était une vraie découverte. Et nous n'avions jamais eu, dans les débats, autant de réactions, de questions et d'interrogations.

Les États généraux des femmes des quartiers

Suite à ce séminaire, et face à la demande de prise de parole et de débats, nous avons travaillé, pendant toute l'année 2001, à la préparation d'états généraux des femmes des quartiers, tout en continuant les activités habituelles de la fédération (les repas de quartier, les chantiers internationaux de solidarité, les arbres de Noël, etc.). Nous avons ainsi organisé, à l'automne 2001 et sur tout le territoire national, des états généraux locaux, qui étaient en fait des réunions publiques : à Strasbourg, Narbonne, Clermont-Ferrand, Lille, Bordeaux, Marseille... ainsi que dans de nombreuses villes de la région parisienne. L'objectif était d'abord de faire prendre conscience à toutes les filles du fait qu'elles n'étaient pas isolées, que la situation qu'elles vivaient se déroulait dans toutes les banlieues. J'ai passé mon temps à sillonner la région parisienne et la province pour convaincre les équipes et organiser localement les états généraux des femmes des quartiers. Nous nous sommes appuyés sur nos propres réseaux, qui se sont eux-mêmes ouverts à d'autres associations. Nombreuses sont celles, comme par exemple le Planning familial, qui ont accroché tout de suite avec cette problématique et sont venues participer aux réunions collectives de préparation des états généraux locaux. Nous sommes allés à leur rencontre pour animer des débats, expliquer surtout la façon dont on voyait les choses, pourquoi on était arrivé à cette situation et comment on pouvait essayer d'alerter l'opinion publique et, ainsi, les pouvoirs publics. Il s'agissait de convaincre de la possibilité de créer un rapport de forces qui inverse la situation dans les cités, notamment pour les filles. Les états généraux locaux ont joué alors un rôle essentiel dans cette prise de conscience. La libération de la parole qu'on a ensuite pu observer pendant la Marche, début 2003, est le fruit de plus de deux ans et demi de travail.

Dans plusieurs des villes où nous avions organisé une réunion publique, nous sommes revenues à la demande des filles. Visiblement, cela répondait à un vrai besoin. Elles s'étaient approprié notre démarche et la dynamique prenait : elles s'engouffraient dans ce travail collectif. C'était déjà une première victoire parce qu'on savait que, dans les cités, la meilleure des choses qui puisse arriver pour contrecarrer le « système des frères », c'était de casser l'omerta, de faire péter cette loi du silence pour que les filles et les garçons qui sont en situation de faiblesse et qui sont victimes de ces codes de conduite masculins puissent s'exprimer. Dire : « Stop, ça suffit. Voilà ce que je vis et voilà ce que je vois dans ma cité. J'en ai marre » était déjà une avancée énorme. Il faut comprendre que cette fameuse minorité agissante avait déjà gagné la bataille, mine de rien, parce qu'elle avait pris en otage toute la cité, sans que cela ne provoque de réactions, ou si peu.

Pendant le déroulement des états généraux locaux et dans l'idée d'organiser des états généraux nationaux, nous avons lancé un questionnaire avec des questions très ciblées sur des problèmes précis comme la violence, la sexualité, les traditions, la religion, etc. Nous avons reçu plus de cinq mille réponses. La sociologue Hélène Orain en a fait un *Livre blanc des femmes des quartiers* [1] illustré par des témoignages de jeunes femmes sur leur propre parcours. Il confirme complètement notre analyse sur ce qui se passait dans les cités : la montée de la violence, la décomposition sociale, la ghettoïsation, le repli communautaire, la discrimination à la fois ethnique et sexiste, le retour en force des traditions, le poids du mythe de la virginité, mais aussi de pratiques comme l'excision, la polygamie, toujours en vigueur dans certaines communautés africaines.

---

1. *Livre blanc des femmes des quartiers*, disponible à la Fédération nationale des Maisons des potes.

Les États généraux des femmes des quartiers se sont déroulés les 26 et 27 janvier 2002 à la Sorbonne et ont réuni plus de trois cents personnes, en pleine période de campagne présidentielle. Une réunion non mixte, où seules les femmes avaient été invitées parce que lors des réunions des états généraux locaux, beaucoup de filles étaient venues nous dire : « Vous savez, c'est difficile pour nous de parler quand il y a des garçons. » Nous avons donc décidé que les états généraux nationaux leur seraient fermés. Trois cents femmes sont donc venues discuter, toutes origines et toutes générations confondues, âgées de quinze à plus de cinquante ans. Nos mamans étaient là aussi, c'était essentiel pour le dialogue entre les générations. Quatre thèmes ont été discutés : la sexualité, le poids des traditions et des religions – est-ce un frein à l'émancipation des femmes ? –, la formation et l'accès au travail. Et là, tout d'un coup, au fur et à mesure des débats, on a senti les tabous sauter, les langues se délier. Entre elles, sans regard masculin extérieur pour les juger, les filles osaient dénoncer ce qu'elles vivaient. Les gros pulls qu'elles enfilent pour traverser la cité et qu'elles enlèvent dès qu'elles arrivent au lycée ; les stratégies de contournement compliquées pour éviter les groupes de garçons sur leurs parcours ; la difficulté de sortir seule et la quasi-obligation de se déplacer en bande de filles, par peur d'une agression ; les sorties limitées ; l'accès restreint aux infrastructures sportives et culturelles ; les relations tendues, agressives avec les garçons ; l'impossibilité de vivre une relation amoureuse sereine. Ces états généraux ont constitué un moment très fort émotionnellement, au cours duquel ces trois cents femmes, ayant pris conscience qu'elles subissaient la même violence, ont dit leur ras-le-bol et leur envie de faire en sorte que les choses changent.

Le manifeste « Ni Putes Ni Soumises »

À l'issue de ces états généraux, nous avons publié, en mars 2002, un appel que nous avons intitulé « Ni Putes Ni Soumises [2] » et qui s'est traduit par une pétition nationale. Nous avions longuement réfléchi à notre signature : comment trouver un slogan qui marque les esprits, sensibilise l'opinion et les politiques et surtout qui ouvre les yeux de milliers de filles ? L'expression « toutes des putes sauf ma mère » nous est apparue comme l'illustration même de la manière dont les hommes considéraient les femmes dans les quartiers. Non, nous n'étions pas des putes, mais nous n'étions pas non plus ces filles soumises décrites à l'extérieur. Nous en avions assez d'entendre que si les femmes des quartiers étaient si mal traitées, c'est parce qu'elles ne se révoltaient pas. Et nous avons donc choisi ce slogan : « Ni Putes Ni Soumises », qui a pu heurter certaines personnes, mais qui avait l'intérêt d'être efficace.

Des prostituées nous ont écrit pour protester contre notre slogan qu'elles ont jugé stigmatisant à leur égard. Leur mail nous a surpris car nous n'avions jamais pensé à la prostitution réelle en adoptant cet intitulé. Loin de nous l'idée de stigmatiser les

2. Voir Annexe 2.

prostituées, au contraire ! Nous nous sentons totalement solidaires de ces femmes ; il y a tellement de filles qui plongent dans la prostitution dans les cités ! À l'inverse, d'autres prostituées emmenées par l'association du Bus des femmes nous ont contactées pour nous soutenir. La rencontre avec elles a été très forte : nous avions en face de nous des femmes dont la vie est un enfer mais qui tenaient à marquer leur solidarité avec nous.

Nous avons envoyé notre « manifeste » de revendications à tous les candidats à l'élection présidentielle d'avril 2002. À notre grand désespoir, il y a eu très peu de réactions. Tous les candidats ou presque glosaient sur l'insécurité, les zones de non-droit en banlieue, mais ne prenaient pas la peine de s'interroger sur les causes et de s'intéresser aux victimes les plus flagrantes, les filles des cités. Le climat politique était devenu détestable : c'était l'époque où les télévisions ne cessaient de diffuser des reportages alarmistes sur les cités, stigmatisant les jeunes qui y vivaient, les petits Blacks et Rebeus qui y zonaient. Certains médias ont joué un rôle très négatif dans l'instauration de cette atmosphère d'hystérie anti-jeunes. Et pas n'importe quelle jeunesse : celle des cités !

Il faut également évoquer ce fait divers effroyable, qui s'est déroulé le 20 avril 2002 à Orléans : l'agression de « Papy Voise », ce vieil homme de soixante-douze ans, qui s'était fait tabasser chez lui et avait vu sa maison incendiée, parce que les jeunes voyous qui l'avaient agressé n'avaient pas trouvé ses économies. Les images de la victime au visage tuméfié sur son lit d'hôpital ont fait la une de tous les journaux télévisés.

Face à ce drame horrible et détestable, à la confusion qui régnait, j'avais une crainte : que les faits aient été commis par des jeunes issus de l'immigration. Ce qui finalement n'était pas le cas.

Il y avait une telle haine en direction des jeunes des cités que je me disais : « Mon Dieu, qu'est-ce qui va se passer ? » C'était ahurissant : on parlait de nous, habitants des cités, mais personne ne nous écoutait ! On avait l'impression que toute cette furie était orchestrée par des gens qui nous jugeaient et nous condamnaient mais qui n'avaient jamais mis les pieds en banlieue. Nous étions cependant résolus à ce que ce débat-là ne se déroule pas sans nous. Il fallait faire entendre la volonté des habitants de ces quartiers de changer la donne, de faire en sorte que chacun puisse y vivre normalement, comme dans le reste de notre société, de faire cesser la stigmatisation et la diabolisation de ces quartiers, tout en faisant comprendre que la situation vécue au quotidien y était terrible.

Nous voulions faire comprendre au Français moyen que si ses propres enfants avaient grandi dans les conditions que nous avons connues, il est probable qu'ils auraient dérapé tout comme ces gamins violents d'aujourd'hui, victimes de leur environnement social. Ces jeunes ne naissent pas loups, ils le deviennent. La délinquance n'est pas inscrite dans les gènes comme le sous-entend l'extrême droite, qui fait son beurre sur le dos de la pauvreté et de la souffrance des gens.

Que faire ? Marcher !

C'est à ce moment-là que l'idée de la Marche a germé dans ma tête. Comme il fallait hurler pour être entendus, nous allions organiser une initiative inhabituelle pour alerter l'opinion publique, interpeller les politiques. L'idée d'une marche s'est imposée d'elle-même. J'avais relu Gandhi et Martin Luther King et je voulais une marche pacifique, portée par les filles et les garçons des cités. Et mixte, évidemment, parce qu'il n'était pas question de s'afficher comme voulant instaurer la guerre des sexes. Nous avons eu une discussion vive dans l'équipe parce que certains avaient très peur au départ, estimant que nous ne pourrions jamais y arriver. Je leur ai ressorti une phrase de François Mitterrand, qui s'annonce comme une vérité : « On ne peut rien contre la volonté d'un homme. » J'étais convaincue que nous pouvions y arriver, poussés par la souffrance qu'on avait vécue et les témoignages de toutes ces filles qui étaient venues nous trouver pour nous raconter leur calvaire. Il ne fallait pas oublier les mots. Cela devait être notre moteur. Et c'est ainsi que nous avons commencé à préparer la Marche, à partir de septembre 2002.

Cela a été long et difficile, parce qu'il fallait d'abord convaincre notre propre réseau. Leur dire qu'on ne refaisait pas la Marche des Beurs, qu'ils avaient perçue comme une démarche un peu communautariste puisqu'elle n'avait été réalisée que par des jeunes d'origine maghrébine. Notre objectif était de parler au nom de l'ensemble des gens qui habitent les cités. Les filles étaient certes les premières touchées, mais nous ne voulions pas enfermer la démarche dans une seule et unique entité. Il s'agissait d'ouvrir sur la question du ghetto, ce qui se passe à l'intérieur, les problèmes économiques, etc. C'est d'ailleurs pour cela qu'on est devenus par la suite une sorte de mouvement social. En tout cas, au départ, de nombreux militants doutaient, après avoir passé des années à coller et recoller les morceaux d'un tissu social qui se déchirait sans fin, et certains avaient baissé les bras : ils n'y croyaient plus. Ils pensaient que notre action ne serait qu'une goutte dans l'océan. Il a fallu les bousculer et les faire bouger. Malek Boutih, au contraire, a tout de suite compris l'enjeu et m'a dit « banco ». La violence envers les filles dans les cités était une question qui le taraudait depuis longtemps, mais il savait que ce projet était plus facile à porter par une femme que par un homme. L'aide de SOS Racisme nous a été précieuse : ils ont une expérience et un réseau de relations qui nous font encore défaut. Quant aux filles de l'association, elles y ont cru tout de suite et se sont investies immédiatement. Et puis, nous avons vu d'anciens militants revenir ou de nouveaux nous rejoindre quand nous avons commencé à travailler sur la question des femmes. De nombreuses associations ont pris contact avec nous pour participer à notre projet.

La préparation de la Marche a été un vrai travail de fourmi. Il s'agissait de choisir les étapes, dans des villes où nous avions un noyau militant, ou bien où des associations pouvaient prendre le relais ; de discuter avec nos militantes pour savoir lesquelles étaient prêtes à tenter l'aventure ; de trouver des hébergements, de s'assurer d'avoir à chaque étape une voiture de location… Nous avons pris contact avec des entreprises privées pour nous aider et c'est ainsi que le groupe Accor, qui avait répondu affirmativement, a mis à notre disposition, pour chaque étape, l'hébergement et les repas. Ce fut pour nous une aide précieuse et un soulagement. Nous avons donc construit au fur et à mesure les vingt-trois étapes de la Marche et nous avons vu, au fil des semaines, les filles se mettre en mouvement et les garçons s'interroger. J'étais très soucieuse de les faire participer parce que j'ai six frères et que je sais que certains garçons vivent exactement la même chose que nous. Spécialement ceux qui sont considérés comme des « bouffons », plus fragiles et qui, parce qu'ils ne sont pas rentrés dans le fonctionnement de la loi du plus fort, la subissent. C'était important pour moi de les convaincre de la justesse de notre approche et de les convaincre d'y participer eux aussi. Je crois que nous y sommes parvenus.

Le succès de la Marche

Nous sommes partis à huit, six filles et deux garçons – Loubna, Safia, Chrystelle, Ingrid, Nadia, Olivier, Farid et moi –, le 1er février 2003, de Vitry-sur-Seine, pour rendre hommage à Sohane, qui y était morte brûlée vive quelques mois plus tôt. C'était très important pour nous de relier la « Marche des femmes des quartiers pour l'égalité et contre le ghetto » à ce drame si illustratif de ce que nous dénoncions. Le meurtre de Sohane avait énormément choqué et avait été comme une première prise de conscience de l'opinion publique. Il aura au moins permis de donner une visibilité et un essor au combat que nous étions en train de mener. Tout comme l'histoire vécue et racontée par Samira, qui a opéré également une sorte de déclic. Ceux qui ont lu ce récit ont été scandalisés, horrifiés, et se sont demandé comment il était possible qu'en France, à côté de chez nous, dans notre société moderne, une fille puisse vivre cet acte de torture, cet acte barbare. Les viols collectifs n'étaient pas quelque chose de nouveau mais pour la première fois une victime avait le courage de les dénoncer haut et fort. C'est sous cette double bannière, aux noms de Sohane et de Samira, que nous sommes partis, dans l'indifférence générale.

Une initiative qui prend une ampleur inattendue

Rapidement, de nombreuses personnes se sont greffées à la Marche, dans des étapes, pour nous accompagner et marquer ainsi leur adhésion. Pendant cinq semaines, les marcheurs ont dû assumer un emploi du temps de ministre : lever tôt le matin, conférence de presse, rencontre avec le maire de la ville où nous étions accueillis ou son adjoint, réunion avec les associations, déjeuner organisé par des femmes des cités, visite de plusieurs quartiers, le tout se terminant par un débat ou un meeting après le dîner. À chacune des vingt-trois étapes, nous avions des rencontres, des discussions, des réunions de neuf heures du matin jusqu'à trois heures du matin le lendemain. Avec des débats, le soir, auxquels assistaient jamais moins de deux cents personnes et parfois jusqu'à huit cents. Il y avait toujours beaucoup plus de monde que ce qu'avaient prévu les militants locaux, dans les petites villes comme dans les grandes. À Toulouse, par exemple, où nous n'avons pas de réseau, c'est tout un ensemble d'associations locales qui avaient pris en main l'organisation de l'étape : conférence de presse, réunions dans les cités, meetings et même une manifestation en centre-ville. C'était inouï ! Les médias se sont faits les relais de notre initiative. À Paris, dans le local national de la Fédération des potes, les copains recevaient des dizaines de coups de fil quotidiens, de gens qui demandaient si la Marche passait par chez eux, où on pouvait la rejoindre. Sans parler des centaines de mails et de courriers.

Nous avons reçu dès le départ de nombreux témoignages de sympathie, de personnes se disant admiratives de notre « prise de parole courageuse ». Pour nous, il ne s'agissait pas de courage, mais de l'expression d'un ras-le-bol. Une simple et évidente envie de dire « ça suffit ». Mais très vite, je me suis aperçue que nous étions dans le vrai, que nous touchions à quelque chose de sensible. Au fur à mesure de l'avancée de la Marche, nous nous sommes rendu compte qu'il se passait là quelque chose d'extraordinaire, qui nous avait dépassé et qui était repris par d'autres femmes. Nous avons compris que nous étions en train de lever un tabou. Un tabou si pesant que notre initiative avait pris une ampleur inattendue Le besoin de parler était sidérant !

L'expérience de la Marche a été extraordinaire par la richesse des rencontres que nous avons pu faire. Il faut comprendre que c'était pour nous assez nouveau et curieux d'entendre parler autant de nous en bien. Nous nous étions tellement habitués à vivre dans un rapport de forces permanent, à taper du poing sur la table pour nous faire entendre que, quand nous voyions des grands-mères venir vers nous et nous tendre des bouquets de fleurs, nous n'en revenions pas.

Cet élan de sympathie et d'amour nous était si inhabituel ! Parce que dans les cités, même au sein des cellules familiales, le moindre signe d'affection ou d'amour fait peur !

La Marche fut une expérience hors du commun pour tous les marcheurs, mais surtout pour les filles. Aucune n'en est sortie indemne. À chaque étape, le soir, nous faisions le point ensemble. Il nous fallait faire sortir ce que nous avions pris dans le ventre : nous étions un peu comme des éponges, absorbant les mille et un récits de misère et de violence que nous avions entendus dans la journée. Toutes les marcheuses ont été extrêmement remuées par les histoires qu'elles entendaient comme autant d'échos à la leur. La gestion émotionnelle de l'initiative n'a pas été facile : nous sommes toutes arrivées à Paris, à la fin de la Marche, complètement vidées. Mais déterminées.

Des rencontres émotionnellement fortes

J'ai en tête des soutiens qui m'ont touchée plus que d'autres. La première femme qui m'a téléphoné pour m'encourager, c'est ma mère. Elle avait une peur bleue que je me fasse vitrioler, que je sois agressée, mais elle savait qu'elle n'avait jamais pu me dissuader de quoi que ce soit quand j'étais déterminée. Alors elle m'appelait tous les jours. Et un jour elle m'a dit une phrase que je n'oublierai pas : « Si moi, à mon époque, j'avais pu faire ce que tu es en train de réaliser, je l'aurais fait. Quand tu marches, c'est un peu comme si moi aussi je marchais. » J'ai compris qu'elle était fière et qu'elle projetait sur moi tous les combats qu'elle n'avait pu mener. Cette phrase était d'une telle force à mes yeux qu'elle m'a soutenue tout au long de la Marche, même dans les moments de fatigue et d'abattement.

Et puis il y a eu d'autres soutiens anonymes. Je me rappelle à Toulouse une mamie de quatre-vingts ans qui est venue nous voir pour saluer notre courage en disant : « C'est extraordinaire ce que vous faites. » Nous avons commencé à discuter et elle m'a parlé de sa vie, de son engagement à dix-sept ans dans la Résistance avec les communistes, de la guerre, etc. Je n'arrivais pas à comprendre pourquoi elle semblait nous admirer ! La comparaison était tellement incroyable, même si ce qu'on vit dans les cités est dur. Elle m'a sidérée.

Ou bien encore cette gamine des cités de quatorze ans, écorchée vive, contestant toute autorité, en pleine crise vis-à-vis de l'école, qui s'est approchée de moi après une réunion, pleine de respect, presque comme si j'étais une idole intouchable, et m'a dit : « Madame, vous ne vous rendez pas compte de ce que vous faites. Quand le soir dans mon lit, je pense à ce que je vais devenir, à ma vie coincée dans ma cité, ce que vous dites me donne de la force ; je sens que je ne suis pas toute seule. Vous vous êtes imposée, je réussirai aussi. » Je l'ai eue par la suite plusieurs fois au téléphone et elle me racontait qu'elle suivait la Marche à la télévision. J'ai senti, à l'entendre, qu'on avait commencé à remporter de petites victoires.

Notre plus grande réussite, lors de cette Marche, a été de convaincre les filles les plus réticentes à reconnaître dans quelle oppression elles évoluaient. Certaines niaient farouchement en nous disant . « Nous, on ne vit pas du tout ce que vous dénoncez. C'est super bien, notre cité. On fait ce qu'on veut. » La discussion était souvent très serrée, mais on ne lâchait pas. On leur demandait si elles pouvaient aller au cinéma comme elles voulaient, flirter avec un garçon, amener leur petit copain à la maison, si elles pouvaient sortir comme leur frère et rentrer tard. Et là, on voyait qu'elles avaient intégré des normes archaïques, sans même s'en rendre compte. Elles nous parlaient des interdits du père, des tabous sur le sexe. « Ça ne se fait pas chez nous ! Il faut être vierge au mariage. Si je sors, mon père me tue ! » Elles avaient appris à baisser la tête. Mais elles l'avaient tellement bien intégré qu'elles pensaient que c'était leur propre décision. Pour certaines d'entre elles, le conditionnement est tellement ancré qu'elles ne pourront jamais envisager de vivre autrement. Mais très souvent, pratiquement à chaque débat, ces femmes venaient nous voir à la fin, et là, en tête à tête, elles se lâchaient. Et nous racontaient leur quotidien fait de toutes ces interdictions, ces brimades, cette surveillance qu'on dénonçait. Un soir, l'une de ces filles est venue m'avouer : « J'ai tellement fait de conneries que, cet été, je vais être mariée en Algérie. »

Ces filles et ces femmes que nous rencontrions – je le sais car je reste en contact avec plusieurs d'entre elles – ont commencé à se poser des questions, à comprendre les comportements qu'elles avaient intégrés et qui faisaient qu'elles baissaient la tête. Elles ont changé de regard sur le monde et leur vie. Et, pour moi, c'est une plus grande victoire encore d'avoir touché ces filles-là que celles qui étaient déjà convaincues. Parce que cela signifie qu'il y a de l'espoir. Ces filles-là vont devenir mères plus tard et il faut veiller à l'héritage qu'elles vont laisser à la prochaine génération.

Un mouvement qui dérange

Et puis bien sûr, nous avons aussi eu nos détracteurs. On nous a souvent reproché de stigmatiser les banlieues en parlant de ghettoïsation. Ce n'est certes pas un discours facile à porter parce qu'il met en cause les politiques, droite et gauche confondues, et tous les gouvernements qui se sont succédé. Et qu'il oblige à ouvrir les yeux sur une réalité qu'on a trop longtemps refusé de voir. Mais je pense sincèrement que c'est plus facile pour un mouvement comme le nôtre de porter ce discours-là, parce que nous sortons des cités et que nous y vivons.

Lors de certains débats, nous avons été confrontées à des garçons assez agressifs qui ne comprenaient pas notre discours, refusaient qu'on dénonce la violence des quartiers et nous accusaient de stigmatiser les banlieues. Les coups portés étaient durs et, lors de quelques rencontres, nous avons été rejetées violemment par certains, qui se sentaient totalement remis en cause. Il nous est même arrivé d'être face à face avec des garçons qui avaient participé à des viols collectifs et qui ne comprenaient pas ce qu'on leur reprochait, pourquoi on dénonçait ces actes. C'était horrible de voir que ces jeunes ne saisissaient pas la gravité de leurs actes et comment ils avaient détruit la vie d'une fille.

Je comprends bien qu'il soit difficile, pour un garçon vivant dans une cité, d'entendre le reproche de la violence, alors qu'il vit constamment dans un sentiment d'injustice. Et c'est ainsi que certains passent du statut de victime à celui de bourreau. La misère sociale, culturelle et intellectuelle, les repères machos acquis sur le tas ne permettent pas à ces garçons de comprendre qu'ils subissent eux aussi ce système mis en place dans les cités. Lors des rencontres, ils haussaient le ton, pensaient que les filles avaient décidé de leur déclarer la guerre. Ce qu'ils avaient retenu de notre Marche à travers les médias, c'était une image « anti-mecs ».

Il nous a fallu beaucoup de discussions avec eux, en aparté ou en groupe. Avec les autres marcheuses, nous nous sommes efforcées de leur expliquer que la Marche ne se faisait pas contre les quartiers, ni contre nos pères ou nos frères, ni contre l'islam, mais que c'était un mouvement qui nous permettait d'exister en tant que femmes réclamant le respect. Que nous voulions juste sortir de cette spirale de la violence qui était en train de détruire tout le monde dans les cités. Il s'agissait de leur faire comprendre qu'eux-mêmes en étaient des victimes mais aussi des acteurs en ayant ce type de comportement avec les filles. Nous leur avons expliqué que nous avions aussi des frères envoyés en prison parce qu'ils avaient dérapé ou s'étaient fait choper avec des barrettes de shit ; que nos petites sœurs s'étaient fait agresser par certains garçons des cités. Bref, qu'on ne parlait pas de quelque chose qu'on ne connaissait pas, que notre parcours était identique au leur.

Même si c'était parfois difficile de se faire entendre, la majorité de ces garçons finissait par comprendre et admettre ce que nous disions, quand nous prenions le temps de les considérer, de leur expliquer. Par la suite, on en a vu quelques-uns qui, en rentrant dans leur cité, ont commencé à se poser des questions et à changer leur comportement vis-à-vis des filles : ce sont elles qui nous l'ont dit après. La graine avait donc germé dans leur tête.

D'autres, au contraire, continuent à ne pas nous supporter, et clament haut et fort que nous avons « trahi la communauté ». Ceux-là, nous les dérangeons. Ce sont d'abord les caïds des économies parallèles, car notre dénonciation met aussi en lumière leurs activités, leur organisation et leurs dérapages. Ce sont ensuite les religieux des mouvances intégristes, qui ne veulent pas entendre parler d'émancipation des femmes. À certaines étapes, ils sont venus mettre le souk dans nos réunions, nous insulter en nous traitant de mécréantes et nous menacer de *fatwa*.

Il y a eu aussi l'association Ni Machos Ni Proxos, un collectif de mecs qui s'est monté au printemps 2003 contre notre mouvement, en niant la réalité que nous décrivions et en dénonçant la prétendue stigmatisation, diabolisation, que nous provoquions. Mais face à eux, nous savions que nous avions raison et qu'il fallait tenir bon. Nous venons aussi des cités et ils ne peuvent pas nous mentir, ni sur leurs privilèges dans l'éducation qu'ils ont reçue, ni sur le règne de la loi du plus fort qu'ils confortent en campant sur leurs positions. À Asnières, ils sont venus assister à la rencontre que nous avions organisée lors de notre toute dernière étape, le 6 mars 2003, avec l'idée de saborder totalement la réunion. Après une heure de débat stérile, où ils nous ont bien fait comprendre qu'ils n'étaient pas là pour écouter mais pour saboter notre travail, l'un d'entre eux, le meneur, a fini par déclarer qu'il préférait avoir Le Pen en face de lui dans les cités, à Asnières, plutôt que nous. Inutile de dire qu'il est parti avec ses acolytes sous les huées.

L'incroyable besoin de libérer une parole jusqu'alors confisquée

Notre succès a fini par nous dépasser. Lors de chaque rencontre, nous nous sommes aperçus que le public qui était devant nous n'était pas seulement venu des cités pour parler de la violence. C'était un public très mélangé – classe moyenne, profs, bourgeois de centre-ville et prolos de banlieue – avec des attentes bien plus larges que ce que nous étions capables de porter. Quand nous avons commencé à parler de la violence que nous vivions, nous pensions libérer la parole des filles et des garçons des cités, mais pas celle de la société entière.

Il y avait de telles attentes dans ces débats que c'en est devenu presque trop lourd pour nous. Les gens venaient nous parler de la violence dans les quartiers, mais nous interpellaient aussi sur l'économie, sur le chômage, sur des choses pour lesquelles nous n'avions pas de réponses. Des questions de l'ordre de celles qu'on devrait poser aux politiques, aux autorités. Après le 21 avril et l'accession de Le Pen au second tour de l'élection présidentielle, les gens exprimaient un besoin immense de liberté de parole, de démocratie, d'échange. J'ai compris que notre France était malade d'une confiscation de débats. Que nos concitoyens avaient envie de dire des choses sur ce qu'ils vivaient mais n'en trouvaient pas l'espace. Avec le score de Le Pen à l'élection présidentielle, il y avait aussi une telle peur ! Parfois, la composition même des salles, dans certaines villes comme à Lille ou à Lyon, nous a fait frémir : il y avait les Blancs d'un côté et les Blacks et les Rebeus de l'autre. J'ai senti, ces soirs-là, qu'une fracture était en train de se creuser et qu'un débat sur la République, la laïcité et la place de l'islam s'imposait.

Dans la foulée de la Marche, et pour pérenniser notre action, nous avons créé en avril 2003 une association : le Mouvement « Ni Putes Ni Soumises ». L'idée nous en était venue pendant la Marche, car nous étions souvent interpellés pour savoir quelles étaient les prochaines étapes, ce que nous avions prévu de faire après la Marche, où les gens pouvaient s'investir, etc. Nous avons eu énormément de demandes d'adhésion de particuliers, d'associations souhaitant créer des comités « Ni Putes Ni Soumises » : à la fois des filles et des garçons des cités mais aussi des instits, des médecins, des professions libérales... Certains élus, de gauche comme de droite, des collectivités territoriales, nous ont également contactés. Comme nous préférons garder notre indépendance, nous leur avons proposé de les aider à monter des comités mais à la condition de laisser ensuite les jeunes filles des quartiers les animer. Cela a marché et on retrouve dans ces comités la république métissée que j'aime bien, avec toutes les tranches d'âge, toutes les classes sociales, toutes les origines ethniques, des Blacks, des Blancs, des Beurs. Avec les autres marcheuses et marcheurs, nous avons ressenti une grande satisfaction en voyant se mettre en place tous ces comités. Cela nous a fait du bien.

« Ni Putes Ni Soumises », qui était le slogan du manifeste de janvier 2002, est aujourd'hui une marque déposée et nous en avons fait le nom de notre nouvelle association. Mais chaque comité peut s'appeler comme il l'entend parce que, pour une association dans une cité, c'est un nom parfois difficile à porter. Notre lien, c'est la charte du mouvement qui doit être respectée par tous.

Le féminisme dépassé ?

Pour comprendre le rapport au féminisme des marcheuses, il faut d'abord comprendre d'où nous venons. Dans les cités, quand on parle de féminisme, de lutte des femmes, toutes les filles éclatent de rire. Ces références n'ont aucun sens pour elles parce que les acquis de ces luttes se sont arrêtés aux frontières de la cité. La possibilité de choisir sa sexualité, le droit à la contraception, à l'avortement ne sont « pas pour elles » : l'accès à ces droits leur est nié. C'est un constat amer mais bien réel.

Que signifie le mot « féminisme » pour les filles des cités ?

Quand on parle de pilule ou de contraception à une femme, cela suppose qu'elle a déjà une vie sexuelle assumée. Or, toute aspiration à des relations sexuelles est interdite aux jeunes filles des cités ! L'obligation de virginité est si présente qu'aucune fille ne peut raconter calmement qu'elle a des relations sexuelles avec un garçon. C'est impossible. On n'entendra jamais une jeune femme des cités dire qu'elle prend la pilule ou qu'elle est tombée enceinte par accident et qu'elle va se faire avorter. Si elle s'affiche comme une femme libre ayant une vie sexuelle, les hommes le lui font payer très cher. Il suffit qu'elle ait couché une seule fois avec un garçon de la cité et que cela se soit su pour que sa réputation soit faite, que son frère soit raillé parce qu'il n'a pas su surveiller sa sœur et l'engrenage de la répression familiale s'enclenche. Toutes les adolescentes des cités – y compris les filles voilées – ont une vie amoureuse et sexuelle, mais clandestine : les relations sont dissimulées et se déroulent le plus souvent dans des endroits sordides – des caves, des voitures ou des hôtels miteux – et dans des conditions déplorables, sans protection.

Dans les cités, aucune fille ne se revendiquera féministe, sauf peut-être si elle possède une culture politique mais cela ne concerne qu'une toute petite minorité aujourd'hui. Le mot même de féminisme est complètement galvaudé, dépassé, obsolète, voire ridicule aux yeux de beaucoup. Dans l'imaginaire de ces jeunes femmes des cités, être féministe c'est se positionner contre les hommes, être en guerre permanente, comme des Amazones. Parmi les marcheurs et les marcheuses, personne ne se réclamait des luttes d'émancipation menées par les féministes dans les années 1970. Pas même moi. J'ai déjà participé à des collectifs féministes comme celui de Droit de choisir à

Clermont-Ferrand. Mais j'en suis très vite partie : on n'y discutait jamais rien de concret, comme par exemple les dossiers de jeunes filles en rupture familiale que je traitais à la Maison des potes, sur lesquels j'aurais eu besoin qu'on m'aide. La plupart du temps, les femmes dans ces collectifs ne s'entretenaient que de théorie féministe ou de mondialisation. Avec les autres filles de la Maison des potes, nous nous sentions en décalage avec elles, car les analyses politiques n'étaient vraiment pas notre préoccupation première. Ce que nous voulions, c'était pouvoir répondre aux situations d'urgence des filles qui venaient à nos permanences.

Le constat d'un rapprochement possible

Durant la Marche pourtant, l'étiquette de « féministe » s'est très vite imposée, comme une évidence. Nous avons rencontré des militantes d'associations et de nombreuses femmes dont le vécu rappelait étrangement le nôtre. Jusqu'alors, j'imaginais que la violence machiste était minoritaire dans les classes bourgeoises. J'étais persuadée que quand on avait de l'argent, on pouvait toujours s'en sortir. Or, dans les réunions, nous avons été confrontées à un nombre incroyable de filles et de femmes, de condition visiblement assez aisée, venues nous parler des violences qu'elles subissaient : les viols conjugaux, les viols tout court, les tabassages du mari ou du copain, le harcèlement quotidien qui leur faisait perdre toute confiance... Beaucoup ont avoué que c'était la première fois qu'elles se livraient, aidées par les autres témoignages. Nous avions devant nous la preuve que la régression de la condition des femmes est générale. Ces femmes, de condition plus aisée, venues témoigner de leur souffrance, m'ont ouvert les yeux : la loi du silence sur les violences sexistes sévit dans tous les milieux sociaux. La loi de l'omerta n'est donc pas l'apanage des cités, même s'il faut bien y reconnaître l'existence d'un certain effet de loupe.

Ce constat nous a horrifiées, nous qui pensions que les autres femmes, de classe sociale plus aisée, bénéficiaient des acquis des mouvements féministes. Malgré les discours, l'adoption de la loi sur la parité, l'image véhiculée par les magazines féminins, ces femmes sont elles aussi dans la galère. Une question s'est alors posée à nous : si ces femmes issues de milieux aisés n'ont pas les moyens de s'en sortir, qui va nous aider à nous hisser vers le haut ? C'est vrai que nous voulions nous affirmer, ne pas rentrer dans un discours de victimisation. La situation était certes catastrophique mais nous étions décidées à lutter pour nous en sortir. Et nous avons tout d'un coup compris que le combat allait être plus rude, plus long, que ce que nous avions imaginé au départ. Une solidarité a joué tout de suite entre nous et ces femmes que nous rencontrions. Ce n'était plus simplement les conditions de vie des filles dans les cités que nous voulions remettre à l'ordre du jour et améliorer mais celles de l'ensemble des femmes, et ce avec toutes les bonnes volontés.

Le témoignage d'une étudiante, Myriam, résume assez bien l'évolution de l'ensemble des marcheuses et de la plupart des filles qui ont suivi le mouvement vis-à-vis du féminisme : « Pour moi, au départ, le féminisme c'était la lutte des hystériques et des revanchardes. En plus, je trouvais ça inutile. À l'époque, je pensais que si on réglait les questions sociales, ça réglait du même coup les problèmes des femmes. Donc ça ne servait à rien ; il valait beaucoup mieux militer pour faire avancer les droits de tout le monde. Au fur et à mesure, j'ai évolué. C'est en discutant avec d'autres filles et en particulier avec des féministes que j'ai compris que la question des femmes était une question à part entière. Aujourd'hui, non seulement je me dis féministe mais en plus je pense qu'à travers ce mouvement on peut y compris régler des problèmes sociaux [1]. »

Le fait de prendre conscience de l'oppression permanente et généralisée des femmes dans la société française nous a incitées à choisir comme jour de l'arrivée de la Marche le 8 mars, Journée internationale des femmes. Je voulais profiter de la symbolique de cette journée pour rappeler que, lors des manifestations des années passées, des femmes avaient été oubliées. Nous voulions que le 8 mars 2003 soit une grande manifestation de femmes à Paris et que les oubliées des cités y soient massivement présentes, parce que cette journée leur appartenait également. S'approprier la date du 8 mars, cela signifiait aussi, pour toutes les filles d'immigrés – dont je fais partie –, afficher notre aspiration à appartenir pleinement à la société française. C'était une façon de dire aux filles des cités : cette question de la place des femmes dans la

1. Témoignage issu du *Livre blanc des femmes des quartiers*.

société vous concerne, fait partie de votre vie, il faut y participer à votre façon.

Le 8 mars 2003, une Journée de la femme particulière

Nous avons commencé à travailler de manière assez isolée. Certaines associations féministes étaient réticentes à l'idée de transformer leur manifestation et avaient déjà prévu un défilé comme les années précédentes. Nous avions l'impression que certaines avaient peur qu'on leur « pique » leur manif. Mais ce que nous voulions, c'était non pas participer à une initiative classique et un peu « plan-plan » mais au contraire créer un événement qui marque les esprits Puis, au fur et à mesure du succès des étapes de la Marche, des associations et des individus nous ont rejoints ; un collectif unitaire a été monté et l'idée d'une grande manifestation à l'arrivée à Paris, avec les marcheuses en tête, s'est imposée d'elle-même. Les syndicats ont marqué leur forte adhésion, et c'est auprès des responsables syndicalistes femmes que nous avons trouvé des soutiens précieux, notamment en termes de logistique, au niveau local comme national. Tout le monde s'y est rallié : tous les partis politiques, à l'exception de l'extrême droite bien sûr, les syndicats, des mouvements féministes comme la Cadac (Coordination des associations pour le droit à l'avortement et à la contraception), le Planning familial, les Chiennes de garde, l'association Mix-Cité, l'association Les Femmes en Noir, l'association

Femmes contre les intégrismes, le Gams (Groupe Femmes pour l'abolition des mutilations sexuelles), mais aussi des personnalités comme la photographe Kate Barry, et bien d'autres. Mohammed Abdi, notre secrétaire général, s'est mis en congé pour nous offrir son expérience dans l'organisation de cette journée et a grandement contribué à sa réussite. Il a fait un travail remarquable.

À mes yeux, le bilan de la Marche est mitigé. D'un côté, ce fut une vraie victoire de voir tout ce monde marcher derrière le slogan « Ni Putes Ni Soumises » porté par des filles des cités. Trente mille personnes dans la rue pour un mouvement comme le nôtre, ce n'était pas gagné ! Pour les huit marcheurs, c'était un aboutissement, une reconnaissance de la pertinence de notre discours. De nombreux jeunes des cités sont venus participer : des petits Blacks, des petits Rebeus, beaucoup de filles. Et pour la première fois nos mères, venues avec leur petit foulard, ont manifesté et j'ai trouvé ça extraordinaire. Elles nous avaient entendues et se mettaient elles aussi à revendiquer alors qu'elles ne l'avaient jamais fait dans leur vie : un cap avait été franchi. Mais, même si nous savions que cela serait très difficile d'amener les gens des cités à participer à la manifestation, parce qu'ils n'en ont pas l'habitude, j'ai été un peu déçue qu'ils ne viennent pas plus massivement. J'aurais aimé que les cités déboulent sur Paris. Mais ce n'est que le début. La preuve, depuis la Marche, on nous réclame dans les lycées, les collèges. Le débat a été porté dans les cellules familiales. Les filles parlent maintenant à leur père, à leur mère. On a réinstallé un dialogue entre les parents et les enfants, entre le frère et la sœur, entre la copine et le copain de la cité. C'est fondamental.

Renouveler les luttes féministes

Tout l'enjeu est maintenant de continuer à investir le terrain des luttes féministes et de ne pas retomber dans le travers initial des petits rassemblements réservés aux femmes issues de classes aisées. Il faut que nous parvenions à nous faire entendre aussi dans le drôle de débat intellectuel qui divise ces milieux féministes. Ce débat oppose, selon moi, les « universalistes » aux partisanes d'une différence assumée. Les premières, c'est-à-dire les « universalistes », conçoivent l'individu comme universel, sans distinction de sexe, considèrent les différences entre hommes et femmes comme des constructions sociales, et estiment que les batailles restant à mener par les femmes relèvent de revendications d'égalité des droits avec les hommes. À l'opposé, les partisanes d'une différence assumée assurent qu'il existe une différence de nature entre femmes et hommes, que les femmes doivent faire face à une oppression spécifique de la part des hommes, qu'elles vivent des situations de violence et que la solution aux problèmes passe par la reconnaissance d'espaces différents pour chaque sexe. Une certaine clarification est nécessaire sur ce que doit être un mouvement féministe aujourd'hui, et il faut pour cela dresser un bilan des luttes passées et de la manière dont elles ont été menées. Parce que la régression de la condition des femmes que nous constatons aujourd'hui en France sonne comme un échec collectif.

Je suis également persuadée qu'il faut cesser de se penser en femme victime et de n'envisager le combat qu'en termes de guerre des sexes. Cette phraséologie a probablement été utile dans les années 1970 pour mener la bataille de l'égalité, c'était peut-être la meilleure façon d'obtenir certains résultats. Mais, aujourd'hui, cela n'a plus de sens. Avec de tels schémas, on déclenche la guerre dans les cités. Je pense qu'il faut partir des situations concrètes et garder un discours universaliste, en considérant les hommes et les femmes comme des citoyens ayant les mêmes droits. Pour moi, la citoyenneté n'a pas de sexe. La société est certes composée d'hommes et de femmes mais ceux-ci sont avant tout citoyens de la République, et celle-ci leur garantit l'égalité. En France, les femmes bénéficient normalement des acquis des mouvements féministes. Les droits existent. Il faut maintenant les appliquer à toutes, y compris aux filles des quartiers. Les groupes féministes existants doivent comprendre que, au-delà de la bataille pour le respect des droits des femmes inscrits dans la Constitution et dans la loi, l'urgence c'est la question sociale et c'est aussi la République.

Je regrette que ces mouvements l'aient oublié. Le meilleur exemple de cette occultation reste à mes yeux le débat qui a fait rage au sujet de la prostitution. Sur cette question précise, je ne suis pas prête à suivre Élisabeth Badinter : pour moi, la liberté de se prostituer n'a aucun sens. Je ne sais qu'une chose : c'est que mes copines qui se prostituent le font sous la contrainte économique, par besoin d'argent pour survivre et nourrir leurs gamins. Ou parfois aussi parce qu'elles ont été amenées à se prostituer par un salopard dont elles sont tombées amoureuses. C'est ça la réalité de la prostitution ! Celles qui le font par choix, je n'appelle pas cela de la prostitution. C'est autre chose et je ne porte pas de jugement moral.

Ces dernières années, les féministes ont mené des luttes presque « réservées » : en se focalisant sur la bataille pour la parité, elles ne se sont adressées qu'aux classes moyennes et supérieures et ont oublié les femmes des milieux populaires. C'est très important qu'une loi pour la parité ait été votée mais, après tant d'années, quel maigre bilan ! Il faut se recentrer sur des bagarres essentielles comme la lutte contre les violences sexistes, contre les violences conjugales, pour l'égalité des salaires, pour une meilleure attention à l'évolution des carrières, bref sur tous les terrains où l'égalité des sexes n'est pas respectée. Le fameux plafond de verre existe toujours pour les femmes et encore plus pour celles des cités ! Il faut se rappeler qu'une fille habitant la banlieue n'a pas les mêmes chances qu'une fille vivant dans le XVIe arrondissement de Paris. C'est pour cette raison que ce combat universaliste doit être mené par l'ensemble des femmes. Et aussi par les hommes.

La suite de la bataille

Le jour où la Marche est arrivée dans la capitale, nous avons reçu un coup de fil du cabinet de Jean-Pierre Raffarin : le Premier ministre voulait recevoir les marcheurs. Imaginez la scène ! La veille, un journaliste m'avait demandé si nous souhaitions être reçus par le gouvernement et j'avais répondu « pourquoi pas », un peu comme une boutade. Nous étions épuisés par ces cinq semaines de marche et par la pression qui était montée au fur et à mesure. Mais c'était tout de même incroyable : nous avions commencé à marcher dans l'indifférence générale et, à notre arrivée, nous étions conviés par le Premier ministre ! La nouvelle a été accueillie avec fierté par les marcheurs car cela signifiait que notre opération avait réussi, qu'enfin nous étions entendus. Pour moi, c'était un signe encourageant.

Nos propositions, dans les salons de Matignon

Nous nous sommes donc retrouvés, quelques heures avant la manifestation parisienne, dans les salons de Matignon. Le Premier ministre nous a écoutés, a posé des questions. Il était entouré de François Fillon, ministre des Affaires sociales, Jean-Louis Borloo, secrétaire d'État à la Politique de la ville, et Nicole Ameline, ministre déléguée à la Parité et à l'Égalité professionnelle. Nous avons eu une discussion franche sur ce qui se passait dans nos cités et nous leur avons présenté nos cinq propositions prioritaires : un guide d'éducation au respect à destination des jeunes ; la mise à disposition d'hébergements d'urgence pour les jeunes femmes en situation de rupture ; la mise en place, dans les commissariats de quartier, de cellules d'accueil pour les victimes de violences machistes ; la création de « points d'écoute femmes » dans les quartiers ; et le lancement d'une université du mouvement « Ni Putes Ni Soumises » pour former des cadres associatifs féminins dans les cités. Nous avons eu l'impression, ce jour-là, d'être vraiment écoutés. Très vite après cette rencontre, un comité interministériel a été créé, sous la responsabilité de Nicole Ameline, pour mettre en œuvre nos propositions.

Tout d'abord, nous avons eu l'engagement qu'un « guide d'éducation au respect », financé par Matignon, serait distribué à la rentrée 2003 par le ministère de la Jeunesse et de l'Éducation nationale dans les maisons de quartier des cités mais surtout dans les écoles, collèges et lycées. Le conseil régional d'Île-de-France s'est montré également attentif à ce dossier. Ce guide peut apparaître comme un gadget mais il ne l'est pas : nous considérons en effet qu'il est indispensable de faire passer le message du respect des filles auprès des jeunes baignant dans une culture machiste. Et plus tôt on commence, mieux c'est. Outre un rappel des règles de vie commune et de respect des autres, le guide proposera des réponses pratiques à différentes situations concrètes, présentées à partir de témoignages.

Deuxièmement, la mise en place d'hébergements d'urgence pour accueillir des filles en rupture totale avec leur famille ou en danger. Ce sont des logements où elles pourront se « poser », continuer leurs études et vivre sans pression ni violences. Jean-Louis Borloo nous a promis la mise à disposition d'une centaine d'appartements à l'automne. Mais cela ne suffira pas pour répondre aux demandes sur tout le territoire : au-delà de quelques appartements, il faut absolument créer un dispositif national d'envergure qui prenne en compte toutes les facettes du problème.

Ensuite, un dispositif d'accueil spécifique dans les commissariats a été décidé. Lorsque nous l'avons rencontré avec l'ensemble des marcheuses, à sa demande, Nicolas Sarkozy, ministre de l'Intérieur, s'est montré attentif et s'est engagé à installer dans les commissariats des psychologues et à former ses policiers à l'accueil des victimes du harcèlement et des violences sexistes dans les cités. Nous lui avons exposé notre vision de la situation en insistant sur le fait que l'environnement pèse pour beaucoup sur le comportement de certains de nos jeunes. Certes, il existe une minorité qui – par choix – ne respecte en aucune manière les règles de vie commune, mais pour la grande majorité, tous aspirent à vivre et à évoluer dans une république laïque. Traiter la violence dans les cités passe aussi par la mise en place de dispositifs concrets de prévention de la délinquance. Pour réussir ce défi, il faut une prise en charge dès l'enfance parce que l'on peut repérer dès l'école primaire les gamins qui, malheureusement, risquent de basculer. Cela nécessite de mettre en synergie tous les acteurs éducatifs qui interviennent dans la vie d'un enfant : les parents, les instituteurs, les éducateurs, etc. Par ailleurs, au cours de cette rencontre, nous avons attiré l'attention de Nicolas Sarkozy sur la situation de jeunes femmes en détresse, mises dans un inconfort administratif par des hommes qui les épousent et les ramènent du pays d'origine, afin qu'elles servent de bonnes à tout faire. Et parce qu'elles se révoltent, ces hommes n'hésitent pas à utiliser la menace du divorce pour les faire plier, sachant parfaitement qu'elles risquent alors l'expulsion et que ramenées au pays elles seront condamnées par le tribunal social. Sur ce sujet, le ministre de l'Intérieur nous a assuré qu'il veillerait à l'application des dispositions prises dans sa circulaire du 19 décembre 2002, afin que ces jeunes femmes ne soient pas victimes doublement [1].

1. Cette disposition incite les préfets, pour les cas de ces femmes mises en situation irrégulière par la rupture de vie commune, à la saisine de la Commission du titre de séjour (Circulaire NOR/INT/D/02/00215/C du 19 décembre 2002).

Le gouvernement est également favorable à la création de « points d'écoute ». Ces lieux offriront aux filles et aux femmes des cités aide et conseils dispensés par des personnels *ad hoc* et leur permettront de monter leurs projets. On sait qu'il n'existe quasiment plus de lieux où les femmes peuvent s'investir dans les quartiers, qu'il faut recréer de la mixité. L'idée est de faire en sorte qu'elles sortent de leur foyer, qu'elles occupent à nouveau l'espace public confisqué par les hommes. Ensuite, au fur et à mesure de l'évolution des projets, ces femmes pourront inviter les hommes afin qu'eux aussi participent à la vie du quartier. Ces espaces doivent réinventer la mixité basée sur le respect de l'autre. Dix sites pilotes sont prévus en France à l'automne : cinq à Paris et en région parisienne et cinq en province. Ils seraient financés par les collectivités locales dans le cadre de la politique de la ville.

Enfin, nous avons proposé la création d'une université du mouvement « Ni Putes Ni Soumises ». Ouvert aux autres associations, le projet veut proposer aux jeunes des cités de participer à des réflexions, des débats, sur les principaux thèmes qui les concernent mais pour lesquels ils n'ont aucun outil intellectuel : la laïcité, les mécanismes d'exclusion, les discriminations, la mixité, la République... autant de sujets qui nous tiennent à cœur et qui sont liés à la situation des filles dans les quartiers. Une première session doit se tenir les 3, 4 et 5 octobre 2003. Par la suite, nous avons prévu que cette « université » dispense des formations spécifiques destinées aux femmes, leur permettant de devenir cadres associatifs, de diriger des organisations de quartier ou de gérer les « points d'écoute ». Ces formations doivent être prises en charge par l'État. Nous voulons permettre aux filles de devenir des interlocuteurs privilégiés dans les cités. C'est ambitieux mais possible : depuis la Marche, de nombreux professionnels sont venus spontanément proposer leur collaboration. Des psychologues nous ont ainsi téléphoné pour nous dire qu'ils se mettaient à notre disposition. En attendant la réalisation de cette « école de formation des femmes des cités », nous allons mettre en place deux réseaux d'aide aux associations locales dans leur gestion des dossiers de filles : l'un organisé autour de psychologues, l'autre d'avocats.

Aujourd'hui, la priorité est cependant de pouvoir accueillir dans l'urgence les filles en danger. C'est pour cette raison que lors de nos dernières rencontres avec le gouvernement, nous avons mis l'accent sur l'urgence à créer un dispositif national d'hébergements *ad hoc*. Mais il n'est pas question d'attendre que les subventions arrivent. Nous avons soulevé un immense espoir après la Marche, nous voulons maintenant que la situation change dans les cités, surtout pour les filles. Il est évident que nous serons très attentifs à la mise en place concrète de toutes ces promesses du gouvernement.

Les autres actions

Le mouvement va récolter des fonds pour créer une sorte de caisse sociale permettant de répondre à des situations d'urgence, d'extraire aussi vite que possible de leur cité les filles menacées ou violentées, de leur trouver un lieu où elles pourront être à l'abri et se reposer. La plupart du temps, quand elles quittent leur domicile, elles partent sans rien, sans argent ni bagages. La collecte de fonds que nous organisons va permettre de les aider matériellement à se nourrir, à se vêtir, à payer un loyer... L'émancipation ne peut commencer que quand on a pu poser sa tête en même temps que son fardeau.

Nous avions programmé un grand concert en juin 2003 pour récolter des fonds et aider les premières femmes qui étaient venues nous demander de l'aide. Mais nous avons dû l'annuler, car il tombait malheureusement en plein mouvement social. Il était prévu que les gens viennent massivement de province et le risque de grèves dans les transports nous a dissuadés de maintenir le concert. Il a donc été décidé de le reporter au printemps prochain. Les vingt et une personnalités qui avaient proposé de participer au concert en juin se produiront bénévolement pour soutenir les « insoumises » : les Rita Mitsouko, La Tordue, Aston Villa, Faudel, Enrico Macias, Jean-Jacques Goldman, Marc Lavoine, Nicole Croisille, mais aussi Lââm et Princesse Aniès, il y en aura pour tous les goûts ! Michèle Bernier, Éva Darlan, Daniel Prévost et Charlotte de Turckheim joueront quant à eux les « maîtres de cérémonie ».

Plus récemment, à l'occasion de la fête du 14 Juillet, nous avons monté un projet d'exposition intitulé les « Mariannes d'aujourd'hui » : une fresque composée de quatorze portraits de jeunes femmes portant bonnet phrygien ou cocarde tricolore a habillé tout l'été le fronton du Palais-Bourbon. Cette exposition de portraits de filles des cités, dont certaines marcheuses, a été conçue et réalisée par Cécile et Liliane, propriétaires d'une galerie d'art contemporain engagée aux côtés du mouvement, « Edgar le marchand d'art ». Il s'agissait pour nous que l'Assemblée nationale, le cœur de la République, devienne l'ultime étape de la Marche. Cette action, porteuse de symboles forts, de Liberté, d'Égalité, de Fraternité, illustre la diversité de la République et clame notre attachement commun pour Marianne, image d'une femme symbolisant la résistance à toute forme d'oppression. Ce projet n'aurait pas vu le jour sans le soutien actif et chaleureux de Jean-Louis Debré, président de l'Assemblée nationale. Grâce à l'efficacité de son équipe, tout a été mis en place pour que ce soit une réussite. Nous sommes très fières d'être les « Mariannes d'aujourd'hui ».

Un mouvement au service du citoyen

Certes, pour réussir à relever le défi que nous nous sommes lancé, le mouvement « Ni Putes, Ni Soumises » se doit de rester en dehors de toute forme d'instrumentalisation. C'est avant tout un mouvement citoyen qui refuse la logique de la violence et de l'inégalité. Nous ne sommes pas dans la polémique mais dans la construction. L'indépendance du mouvement, ce n'est pas non plus la neutralité. Les positions que nous prenons nous engagent devant nos concitoyens et nous ne perdrons jamais de vue l'essentiel qui nous anime : la volonté de faire en sorte que cela bouge dans nos cités, que la loi du plus fort et l'omerta qui l'accompagne soient éradiquées à jamais de nos quartiers et soient remplacées par les valeurs républicaines. C'est un immense chantier qui s'est ouvert au soir du 8 mars, auquel j'entends bien contribuer. Mais ce n'est qu'ensemble que nous pourrons y arriver, parce que c'est l'affaire de tous que de ne plus accepter ces endroits de relégation qui nuisent à notre société, de préserver cet espace commun que nous offre la République et que nous devons partager dans le respect des uns et des autres. C'est pourquoi, au sein du mouvement, se retrouvent toutes celles et tous ceux qui aspirent à cet objectif. Les revendications portées par le mouvement ont transcendé les classes sociales et dépassent les clivages politiques, et je m'en réjouis d'autant que le choc d'un certain 21 avril nous avait laissé un goût amer. C'est pour toutes ces raisons que je ne crains pas l'instrumentalisation de notre mouvement. Comme je l'ai dit plus haut, nous resterons vigilants à ce que les propositions faites n'aient pas le destin d'une feuille d'automne. Et toutes volontés politiques réelles et constructives – et pas de seules promesses – permettant de répondre à l'espoir que nous avons suscité chez ces jeunes emporteront notre adhésion.

Épilogue

Réinvestir massivement dans les banlieues !

Tous les marcheurs et toutes les marcheuses ont continué à s'investir dans le mouvement après le 8 mars. Nous ressentions tous beaucoup de fatigue mais nous avions désormais l'assurance que nous ne nous étions pas trompés. Nous avions rencontré un tel élan de sympathie que nous ne doutions plus de nous. Cependant, durant la Marche, avec les autres marcheuses, nous avions vécu également des moments émotionnellement forts, lors desquels des filles et des femmes nous confiaient leur mal-être et leurs souffrances, qui parfois pouvaient nous renvoyer aux nôtres. De fait, une marcheuse en particulier a décroché, tant c'était lourd. Je savais bien qu'aucune ne sortirait indemne de cette expérience, mais j'avais fait part de mes angoisses de les voir trop profondément affectées à notre amie photographe Kate Barry.

Et grâce à elle, le groupe des marcheurs a pu bénéficier d'un dispositif de soutien psychologique, mis en œuvre par deux professionnels, d'une efficacité extraordinaire. Aujourd'hui, chacun et chacune sont toujours à mes côtés pour poursuivre, avec la même détermination et la même énergie, le combat commencé. Entre les interventions dans les collèges et les lycées, les demandes d'aide pour monter des comités, les débats dans les cités, les colloques, les sollicitations médiatiques ou politiques, nous n'arrêtons pas ! Nous mettons également un point d'honneur à répondre à tous les courriers et e-mails reçus, avec retard tant nous avons été submergés. Notre énergie a été décuplée grâce à cette solidarité. Mais nous sommes assez lucides pour savoir que le combat sera long, notamment pour changer les mentalités.

D'autant plus long qu'il ne pourra se limiter aux revendications des filles mais devra se coltiner avec la réalité sociale des cités et la place que la société française fait à ses jeunes, notamment ceux issus de l'immigration. Au-delà des violences faites aux femmes dans les cités et dans la société française tout entière, il est temps de réfléchir à ce que celle-ci veut faire de ses banlieues. Nous l'avons vu, la virilité poussée à l'extrême, la dérive des quartiers vers le ghetto, le désespoir de toute une génération de jeunes et leur impression d'être rejetés du reste de la société, trouvent leurs racines dans un abandon, lent mais inexorable, des habitants de ces quartiers par les pouvoirs publics. Les quartiers populaires, qu'on appelle pudiquement « sensibles » ou « en difficulté », ont incroyablement changé en vingt ans. Leurs habitants aussi.

À mon époque, il fallait bien sûr que nous, jeunes des quartiers, nous nous battions pour nos droits, pour l'égalité. Mais nous étions convaincus de parvenir à nous faire une place dans cette République dont on nous avait tant loué les qualités. Et nous pensions que le combat que nous menions bénéficierait à ceux qui allaient suivre, nos petits frères et nos petites sœurs. Or, aujourd'hui, les jeunes des quartiers populaires ne constatent pas les retombées de nos luttes passées et doutent de l'avenir. Quand ils sortent de leur cité, le regard des autres est terrible. Comme s'ils étaient « fautifs » d'avance, alors qu'ils se battent tous les jours pour survivre et exister. Cela fait trop longtemps que les jeunes des banlieues se heurtent au même discours politique, exigeant d'eux qu'ils s'intègrent. Mais ces jeunes sont pour la plupart Français et se considèrent comme tels. Que veut dire s'intégrer quand on est né en France, qu'on a fait toute sa scolarité dans une école qui n'a cessé de répéter les valeurs égalitaires de la citoyenneté ? Déjà pour ma génération, c'était pénible d'entendre qu'il faut s'intégrer, au bout de dix, quinze ou vingt ans de présence en France. Pour eux, la troisième génération, c'est insupportable.

Aujourd'hui, ce sentiment d'injustice est plus fort chez les jeunes. Même ceux qui ont réussi ont ressenti, à un moment ou à un autre de leur parcours, l'impression d'être bloqués par leurs origines. Quant aux jeunes attachés aux valeurs de la République, en particulier à la laïcité, qui sont heureusement encore nombreux dans les cités, on ne les entend plus. C'est devenu une parole difficile à tenir et à faire entendre. Mais je reste convaincue que les attentes sont là et qu'elles ne demandent qu'à s'exprimer, comme on a pu le constater durant la Marche. Cependant, les discours ne seront pas suffisants. Chacun d'entre nous devra assumer ses responsabilités et s'investir pour que cela change. C'est aussi cela être citoyen

Les pouvoirs publics aussi auront un rôle important à jouer. Au-delà du constat, ils devront manifester une réelle volonté politique de changement en direction des cités, avec des traductions concrètes. À l'époque, sous la présidence de François Mitterrand, le ministère de la Ville avait commencé à impulser une politique en direction de ces quartiers en difficulté. Cela avait le mérite d'exister mais il est clair que cela n'était pas suffisant. Aujourd'hui encore, malgré sa bonne volonté, le ministre délégué à la Ville n'a pas les moyens suffisants pour mener un vrai travail de fond. Traiter de front « le malaise des banlieues » et renforcer la cohésion sociale suppose de casser les ghettos, de favoriser la mixité sociale et ethnique, et tout cela nécessite beaucoup plus de moyens. Nous avons aussi besoin, dans le cadre de la prévention de la délinquance, de beaucoup plus d'éducateurs, d'animateurs... Or, ces dernières années, le nombre de postes d'éducateurs affectés dans les quartiers a drastiquement diminué. Et ceux qu'on y envoie n'ont plus une formation adaptée au malaise des banlieues. Ce sont des petits jeunots qui sortent des écoles, et quand ils arrivent dans nos cités, ils sont horrifiés. Nombreux sont ceux qui pètent les plombs et demandent à être mutés ailleurs. Personne ne leur a expliqué la réalité des quartiers ; il faudrait que le cursus de formation d'éducateur soit mieux adapté et les prépare au contexte de la cité.

Mais le fond du problème, c'est qu'ils ne sont plus assez nombreux pour faire face à une situation sociale dégradée. S'il y a une urgence sociale, c'est bien celle-là : recruter massivement des éducateurs pour nos quartiers. Parce que, à côté des sanctions, il faut des dispositifs de prévention. La prévention de la violence, de la délinquance passe par la présence régulière d'éducateurs dans les cités. Pas des médiateurs d'ambiance, ni des « grands frères », mais des professionnels ! Ce n'est pas parce qu'un jeune habite la cité et qu'il connaît toutes les familles, qu'il sera pour autant capable de gérer les conflits et qu'il peut donc être nommé médiateur d'ambiance. Il est important de former des jeunes des cités au métier d'éducateur, car le fait de renforcer leur visibilité et de permettre aux plus jeunes de s'identifier à eux ne peut que contribuer au travail de fond, plus global. Il y a déjà quelques années, Michel Delebarre, lorsqu'il était ministre de l'Équipement et de la Ville, avait mis en place un dispositif spécifique de recrutement qui avait permis à des jeunes des cités, en situation d'échec scolaire, de faire une préparation au concours d'éducateur et de rentrer dans un cursus normal. De nombreux jeunes dans les cités, garçons ou filles, ont pu s'en sortir grâce à ce dispositif. Et faire un vrai travail dans la cité.

Ce qu'il faut dans les cités, au-delà de la police qui rassure, ce sont plus d'éducateurs, plus d'infirmières et plus d'assistantes sociales dans les établissements scolaires classés en Zone d'éducation prioritaire

(ZEP). Il faudrait créer également un corps de psychologues spécifique aux quartiers en difficulté. La violence, c'est aussi un signe de mal-être. En tant que tel, ce malaise doit être traité par des professionnels et le suivi doit être pris en charge par l'État, parce que les familles n'ont pas les moyens d'accéder à ce type de soins.

Il faut pour les banlieues une politique spécifique d'investissements massifs permettant de reconstruire, de décloisonner les cités. Il est urgent également d'instaurer une politique de formation spécifique, en direction des jeunes, des femmes, avec des mesures de discrimination positive, comme ce qui a été fait pour Sciences Po ou dans la police sous Chevènement (un recrutement spécifique réservé aux jeunes des banlieues et issus de l'immigration). Il est temps de casser ce plafond de verre qui mine tout élan venu des banlieues. Même si la situation y reste difficile, nous savons tous aussi combien de talents émergent de ces cités. N'oublions pas que certains ont réussi malgré les difficultés, et ce dans tous les corps de métiers. Si ceux-là ont bénéficié de l'ascension sociale, combien en revanche sont restés sur le carreau ? Alors, il est impératif aujourd'hui que les pratiques discriminatoires, sous toutes leurs formes, soient réellement sanctionnées afin que, tous ensemble, nous puissions gagner le combat pour la République.

Postface à l'édition de poche

Je ne pensais pas, au moment de la publication de ce livre, qu'il connaîtrait un tel retentissement. À travers mon histoire, mon expérience, je souhaitais faire comprendre au lecteur comment nous sommes arrivés à une telle situation dans les banlieues. Situation faite d'exclusion, de perte de repères et d'un manque de confiance dans la République et ses valeurs. Au-delà de la dénonciation d'une situation devenue insupportable, notamment pour les filles, mon souci et mon objectif étaient aussi d'expliquer, de convaincre et, sans prétention aucune, de dégager des pistes de réflexion afin que le « vivre ensemble » dans une république laïque devienne une réalité effective et affective.

L'accueil du public m'a surprise : en témoignent tous ces courriers et mails d'encouragement reçus, mais aussi les nombreux prix décernés au livre – prix du « livre politique », de la « laïcité », de l'« éthique », des « droits de l'homme » et d'autres en dehors de France. À chaque remise, mon émotion était intense, et je me sentais écrasée par la responsabilité qui pesait désormais sur mes épaules

– et sur celles de tous ceux qui m'accompagnent au quotidien dans notre mouvement. Souvent, je l'avoue, je ne trouvais pas les mots adéquats pour commenter ces distinctions et me contentais de remercier, tant la symbolique de chaque prix était forte et puissante. Puissante comme la politique, parce qu'elle reste noble et essentielle pour la démocratie. Forte comme la laïcité, parce qu'elle est notre atout majeur dans le combat contre le racisme, les intolérances, l'intégrisme et le sexisme. Elle est l'école de l'intelligence dont Jean Rostand disait qu'« elle vise à former les esprits sans les conformer, les enrichir sans les endoctriner, les armer sans les enrôler »... Quelle belle définition, quel beau combat que celui que nous devons mener tous ensemble pour sauvegarder ce fameux concept qu'est le « vivre ensemble » et rejeter la tentation du repli communautaire portée par les détracteurs de la laïcité. Puis vint l'éthique, parce que sans elle point de responsabilité, point de conviction. Et, enfin, les droits de l'homme. Un combat qui jalonne ma vie. D'abord en tant que fille d'immigré et fille d'ouvrier, mais aussi et tout simplement en tant que femme dont les droits les plus élémentaires sont trop souvent bafoués.

Cette écrasante responsabilité ne saurait cependant me faire oublier ces instants magiques et emplis de joie que sont les rencontres avec nos concitoyens. De ville en ville, j'ai découvert la France urbaine et rurale. J'ai vu combien cette France-là déborde de générosité et d'énergie, malgré les difficultés et le doute. Combien de fois ai-je été interpellée sur la recrudescence de la violence faite aux femmes, sur la problématique des femmes des banlieues, des femmes immigrées, sur le devenir de nos jeunes, particulièrement ceux des cités ! Tous s'interrogeaient sur notre capacité à régler ensemble le phénomène de l'exclusion. Tous avaient conscience que la pratique de la discrimination bloquaient chez certains jeunes le sentiment d'adhésion aux valeurs républicaines, et que des mesures fortes étaient nécessaires pour gagner le pari de la République.

À combien de reprises ai-je été accueillie par ces anonymes, devenus presque des amis, sur le quai d'une gare ou devant l'entrée de la salle où se déroulait le débat public organisé par leur soin ! Combien d'associations ai-je rencontrées, qui, de jour en jour, « tricotent » du lien social et tentent de faire vivre les valeurs de la République, là où plus personne ne le fait ! Combien de fois ai-je été touchée, malgré la lassitude et la fatigue, lorsqu'ils et elles m'ouvraient leur porte pour un dîner ou une réunion d'appartement ? Tous m'ont réchauffé le cœur, comme disait Brassens, « au feu de leur générosité ». Ces hommes et ces femmes, dépassés par les événements, dont les enfants leur échappent et qui savent que la loi de la cité continue de sévir, combien j'ai été fière de les voir participer à nos débats, s'exprimer publiquement pour rejeter la violence qui pourrit une partie de la jeunesse, condamner la présence des islamistes et leurs discours nuisibles, défendre la République laïque tout en étant conscients de ses dysfonctionnements. La majorité silencieuse prenait la parole : je vous garantis qu'elle avait des choses à dire. J'ai échangé maintes fois avec ces femmes et ces hommes, jeunes, vieux, et je me suis beaucoup enrichie à leur contact. J'ai également beaucoup appris, ce qui m'a permis d'ajuster ma courbe dans les différents débats. Un an après la création du mouvement Ni Putes Ni Soumises, nombreuses sont les sollicitations – dont beaucoup d'interventions dans les établissements scolaires – auxquelles les membres se font un point d'honneur de répondre tant elles sont humainement enrichissantes.

Pendant toute cette période, nous n'avons eu de cesse d'expliquer et de convaincre de la nécessité de faire évoluer les mentalités pour une meilleure appréhension des rapports garçons-filles, hommes-femmes. La diversité de ces rencontres et la confrontation des idées nous ont tous amenés à forger nos opinions. Parmi ces débats, celui sur la laïcité et les signes religieux à l'école fut le plus éprouvant physiquement et le plus intense. J'ai découvert à cette occasion que, si la laïcité est partagée par tous, elle ne recouvre pas la même signification dans la bouche de certains responsables politiques et certains intellectuels.

Sur la question du voile, j'avais évoqué dans ce livre la nécessité et l'urgence de clarifier la situation ; à l'époque, je doutais de l'efficacité d'une loi, pensant même qu'elle pouvait engendrer la stigmatisation et la confusion. Mais toutes ces rencontres en France m'ont vite ramenée à l'évidence : cette loi était plus que nécessaire, elle était même très attendue. Cependant, le combat mené par les filles voilées mérite que l'on s'y penche de plus près. Je considère personnellement que le voile n'est rien d'autre qu'un outil d'oppression issu d'une société patriarcale. Or, paradoxalement, pour elles, c'est cet outil-là qui les fait exister dans la cellule familiale en s'appropriant un discours religieux jusque-là réservé aux hommes. C'est cet outil qui les fait exister dans l'espace public de la cité sans craindre d'être montrées du doigt par certains jeunes ou tout simplement de mettre en danger leur réputation. Mais ce gain immédiat et palpable n'est rien d'autre qu'un leurre pour de fausses libertés.

Je reste convaincue qu'une partie d'entre elles, qui ira jusqu'au bout de cette dynamique, prendra conscience de l'enfermement idéologique représenté par le voile ; j'ose espérer que ce sera alors le début d'un réel processus d'émancipation. Parions, dans une hypothèse optimiste, qu'une fois le carcan détruit, elles feront partie des militantes à la pointe du combat féministe. Je veux y croire, c'est aussi notre défi. Même si c'est long, même si nous savons qu'elles subissent la mainmise de certaines organisations islamistes, même si certains, en les soutenant actuellement pour le voile à l'école, ne leur proposent comme perspective d'avenir que la mort sociale.

Le « Tour de France républicain », qui s'est déroulé de début février jusqu'au 6 mars 2004, nous a définitivement confortés dans notre prise de position. Le débat sur la laïcité autour de la « commission Stasi » faisait alors rage. Ce périple nous a conduits à intervenir dans une trentaine de villes. Préparée dans l'urgence, cette initiative fut portée par les membres du bureau national, auxquels se sont jointes très vite de nouvelles personnes, pressées de faire partager leur idéal républicain. Avec l'équipe, nous nous sommes partagé les tâches. J'ai remarqué combien les filles et les garçons de l'association s'investissaient malgré les difficultés et les entraves. Grâce au parrainage de la SNCF et de la société Accor, grâce aux comités Ni Putes Ni Soumises et aux autres associations qui nous ont rejoints, avec le recul et en toute objectivité, ce Tour de France républicain fut une sacrée réussite. Je m'étonne encore de la fabuleuse capacité des membres de l'équipe à organiser dans l'urgence une action qui aurait dû demander au moins six mois de préparation. Aujourd'hui, je salue leur courage et leur détermination. Quand un problème se présentait – et ce fut le cas à plusieurs reprises –, tous faisaient bloc pour trouver rapidement une solution, comme ils faisaient bloc autour de moi pour « [m']éviter ces détails qui [m']auraient perturbée » comme ils me l'ont si gentiment déclaré après coup.

Cette expérience unique en son genre a eu le mérite de souder l'équipe et de créer les conditions d'une solidarité sans faille et sans sectarisme. Combien de garçons et de filles, pas militants pour un sou, se sont révélés dans cette aventure, allant même jusqu'à être au cœur du dispositif ! Les uns œuvrant dans l'équipe de la logistique aux côtés de Sihem, Mala, Samira, Dalila, Yann, Chantal, Otman, Cécilien, Shéra et Isabelle, les autres travaillant en lien direct avec les structures locales, sous la houlette de la bienveillante mais néanmoins exigeante Safia, assistée de Zorha, Farida, Aïcha, Mustapha, Nordine, Clotilde, Asma, François, Thierry. Et encore Nora, grâce à qui Franck a pu se reposer pour les contacts avec les médias, et d'autres encore... Ces derniers venus me mettent du baume au cœur par leur fraîcheur, leur énergie. Ils sont devenus le fer de lance du mouvement. Toujours disponibles, toujours là quand il le faut, avec, en tête, notre ami et indispensable Slimane, l'homme qui règle tout. À lui tout seul, il efface tous les détails qui ressemblent à cette fameuse « dernière goutte qui fait déborder le vase » : il est comme une éponge et calme tout le monde dans les moments de tension ! Tous avaient leurs tâches imparties, tous avaient conscience que nous étions « attendus au tournant », et donc que nous n'avions pas le droit à la moindre fausse note. Tous avaient leur partition, avec comme chef d'orchestre, rigoureux et extrêmement exigeant, Mohamed Abdi, secrétaire général du mouvement.

Grâce à l'appui de notre cinquantaine de comités – désormais bien implantés sur tout le territoire – et de toutes ses petites mains qui les composent, notre Tour de France fut une belle réussite. Quel bel exemple quand la jeunesse « se bouge » pour une cause aussi noble que la laïcité, l'émancipation et la mixité dans notre République métissée !

Nous rencontrions à chaque étape du périple, avec les marraines et parrains qui m'accompagnaient, le comité, les associations et les élus politiques. En début de soirée, le débat public avait lieu et ne mobilisait jamais moins de quatre cents personnes. Un tel engouement explique à lui seul que la laïcité, l'émancipation et l'égalité de droit restent toujours des valeurs en plein essor. Il est vrai que le débat national a mis en évidence un clivage qui a transcendé l'ensemble de la classe politique et des courants de pensée. Une majorité, consciente des difficultés et des problèmes, reste attachée aux valeurs républicaines et au « vivre ensemble ». Une autre, minorité agissante qui évolue dans une sphère islamo-gauchiste, tente de nous expliquer que ces valeurs sont un leurre et que la République est juste capable de stigmatiser et d'exclure. Une manière délicate de culpabiliser les citoyens. Cette minorité en question était présente dans tous les lieux de nos débats.

À croire qu'un mot d'ordre avait été donné pour suivre à la trace ces « femelles enragées, accompagnées d'un genre masculin, alibi de la fausse cause », comme j'ai pu l'entendre à Lyon. Partout, ces personnes ont tenté, par tous les moyens, de confisquer le débat. Très attachée à la démocratie, il m'importait que chacune et chacun aient la possibilité de s'exprimer ; je restais donc très vigilante quant au respect du déroulement du débat. Mais je n'avais pas prévu que cette minorité n'hésiterait pas à utiliser menaces et pressions pour tenter de faire taire la majorité attachée à la République laïque.

Certains ont été jusqu'à m'insulter et insulter certaines marraines qui ont eu le courage de participer aux débats. D'autres m'ont accusée d'avoir fait allégeance au néocolonialisme, d'avoir trahi ma communauté d'origine – ce qui laisse transparaître leur réelle pensée – et de maltraiter l'islam, entretenant ainsi l'amalgame islam/islamisme de manière vicieuse et éhontée. Il est tout de même étrange de constater que ceux qui pensaient porter l'estocade, parmi lesquels des intellectuels connus, ne sont pas issus de l'immigration ; et, pour certains d'entre eux, n'ont entendu parler de la pression sociale des cités que parce qu'il en a été question dans un journal télévisé de 20 heures. Ce sont les mêmes qui se sont tus quand la majorité des filles des cités, justement, se sont battues et se battent encore pour refuser de céder à la pression du quartier. Encore eux qui taxent les « pro-loi » de racistes et d'islamophobes : pour eux, le voile n'est qu'un détail, noyé dans une liste de revendications globales face à un système défaillant. De leur point de vue, comment ose-t-on punir les victimes que sont les porteuses du voile quand, aujourd'hui encore, la France refuse de regarder et d'assumer son passé – voire son présent – colonialiste ! Absurde, ridicule ! Ces arguments, repris par les islamistes, ne servent dans nos cités qu'à donner crédit à leur discours : ils ont forcément raison, puisque même des intellectuels le disent.

Bravo, les défenseurs des libertés : quand on leur parle d'égalité, ils sont d'accord ; quand on leur parle d'exclusion, ils répondent qu'il faut combattre ; mais quand on leur parle de laïcité, ils bégaient, parce qu'ils n'ont pas le courage d'aller jusqu'au bout de leur pensée. Celle-ci n'est en effet rien d'autre que la redéfinition de la laïcité dans ses fondements. Ils n'ont jamais cru en elle comme vecteur d'émancipation. Ils n'osent pas l'affirmer haut et fort, parce qu'ils savent qu'ils seront sanctionnés dans les urnes par nos concitoyens. Ils utilisent d'autres méthodes pour imposer leurs points de vue. À l'instar des islamistes, ils caressent dans le sens du poil tous celles et ceux qui sont susceptibles de les entendre. Dans leur calcul morbide, une partie de la nouvelle génération ne trouve grâce à leurs yeux que si elle se complaît dans un statut de victime qui leur sert depuis tant d'années. Ils poussent l'absurde jusqu'à trouver des justifications à toutes les formes de violence au nom du fait qu'une victime ne peut devenir bourreau. Les plus savants de ces porte-drapeau de l'idéologie victimaire pensent que l'islamisme rampant que nous constatons n'est que l'expression d'une rupture avec le système. Par conséquent, ils sont convaincus qu'il y a là des énergies « révolutionnaires » qu'il convient d'accompagner. Étrange raisonnement, quand on sait aujourd'hui les ravages de l'islamisme, d'abord dans les pays musulmans, et en priorité à l'encontre des femmes. Les mouvements féministes de ces pays, et d'autres, nous ont assez mis en garde contre ce fléau. Certains font mine d'être aveugles et sourds pour asseoir leur analyse politique.

Ces manipulateurs pensent et parlent à la place des autres, au nom du différencialisme, du respect dû également à toutes les cultures et traditions, quand bien même elles porteraient atteinte à l'intégrité physique et morale d'un individu. À les voir et à les entendre, ils n'ont réussi qu'à conforter mes doutes sur cette mésalliance avec l'islam politique. Il n'était déjà pas acceptable qu'au nom de ce mode de pensée on tolère la polygamie, l'excision et l'inégalité des sexes : nous accepterons encore moins l'instrumentalisation de l'islam à des fins politiques.

Et il est clair pour moi qu'aujourd'hui le voile représente le symbole politique qu'il nous faut combattre coûte que coûte si nous ne voulons pas tomber dans l'obscurantisme. Tous les discours portés par cette minorité agissante dont je viens de parler ne sont qu'hypocrisie et mensonge. Elle tente de récupérer une partie de la jeunesse pour des raisons politiques et électorales. Cette fascination du nombre que représente les jeunes des cités vaut bien quelques graves entorses au combat contre le racisme.

Dans cet esprit, certains refuseront de marcher contre l'antisémitisme sous le prétexte qu'il faut ouvrir la manifestation à toutes les formes de racisme. Ceux-là ont la mémoire courte et sélective. Ils ont pris le risque de faire croire à l'opinion publique que les jeunes issus de l'immigration arabo-berbère-musulmane ne se sentent pas concernés quand on parle d'antisémitisme. Comme si cette lutte ne concernait que les Juifs et le combat contre les discriminations, les autres. Voilà une belle manière d'« ethniciser » la bataille des droits de l'homme ; elle en dit long sur la volonté de certains à vouloir, ici et maintenant, asseoir le communautarisme – musulman, en particulier – et en devenir les porte-parole. Et la boucle sera bouclée. Qu'ils sachent que le combat contre l'antisémitisme est aussi le mien, et celui de milliers de jeunes garçons et filles qui me ressemblent étrangement, de même que toutes les luttes contre les atteintes au respect du droit humain. L'antisémitisme est une page particulière de notre histoire, le drame de la Shoah résonne encore dans notre mémoire collective et il est criminel de diminuer l'impact qu'elle doit continuer à avoir auprès de nos plus jeunes pour qu'ensemble nous puissions crier : « Non, plus jamais ça ! »

L'actualité nous rappelle les manquements que nous avons eus à une certaine époque : nous ne serions pas en train de parler de racisme et de discrimination si nous avions été plus vigilants. L'antisémitisme d'antan retrouve un nouveau souffle sous une forme inédite dans certaines cités. Les islamistes assoient idéologiquement l'antisémitisme et justifient l'horreur en instrumentalisant le conflit israélo-palestinien et en refusant d'être clair et ferme sur les appels à manifester contre l'hydre de la haine.

Où sont passés les slogans d'antan : « Première, deuxième, troisième génération, nous sommes tous des enfants d'immigrés » ? Par un tour de passe-passe extraordinaire, on ne parle plus de l'immigration ou de l'immigré, mais du « musulman ». Tous ces clivages, nous les avons retrouvés à la manifestation du 6 mars 2004, à l'occasion de la journée internationale de la femme. Dans la continuité du grand débat national, il nous paraissait important que se retrouvent les associations féministes de tous bords et les organisations politiques et syndicales autour des valeurs porteuses de progrès que sont la laïcité, l'égalité et la mixité. Que nenni ! Le texte d'appel à la manifestation que l'on nous a soumis ressemblait plus à un catalogue fourre-tout, élaboré pour des considérations de circonstance et des tactiques politiciennes. Malgré les pressions, nous n'avons pas cédé et avons lancé notre appel, signé par plusieurs autres organisations féministes, antiracistes, laïques. La traduction de ce désaccord s'est révélée par le renvoi du cortège du mouvement Ni Putes Ni Soumises derrière la Cadac (Coordination des associations pour le droit à l'avortement et à la contraception), le cortège des femmes voilées fermant le ban. Le ratage de ce rendez-vous historique tant attendu par les filles des cités restera comme une marque indélébile.

Cependant, et malgré toutes les attaques auxquelles nous avons dû faire face, l'opinion publique ne s'est pas laissé tromper en nous rejoignant dans la marche. J'étais extrêmement fière de défiler aux côtés de personnalités associatives ou politiques. La présence de Mme Nicole Guedj et de Mme Arlette Laguillier était le signe d'un véritable rassemblement autour des valeurs fondamentales. Depuis cette date-là, les invectives, les insultes fusent et s'amplifient contre les membres du mouvement. Loin de nous décourager, cela renforce au contraire notre détermination et nous donne la force de continuer.

D'autant que le mouvement, fort de ces cinquante comités dont un à Nouméa et d'autres à venir sur le territoire français, prend une dimension européenne et internationale. De l'Allemagne à la Belgique, de l'Espagne à l'Italie, du Portugal à l'Angleterre, partout le mouvement est demandé. Se joignent à cette incroyable dynamique les pays du Maghreb (Maroc, Tunisie et Algérie), le Burkina Faso, le Mali, le Sénégal. Et plus loin encore, les États-Unis, dont nous avons reçu une délégation, le Canada où je me suis rendue. Les attentes sont fortes. Le discours porté par le mouvement dépasse nos frontières parce que le combat des femmes est universel et la solidarité, internationale. C'est d'ailleurs grâce à toutes ces femmes du monde que nous avons eu l'idée de mettre en place prochainement la rencontre internationale des femmes à Madrid.

Parce que le combat pour l'émancipation des femmes est devenu l'épicentre du combat contre l'obscurantisme et l'intégrisme, nous pouvons être fiers du chemin parcouru depuis la Marche des femmes contre le ghetto et pour l'égalité. Depuis la mort de Sohane, beaucoup d'entre nous ont pris conscience de l'injustice que vivait une partie de notre population. Grâce à la mobilisation de l'opinion publique, nous avons pu aider beaucoup de filles qui étaient « en galère ». Des « Marianne d'aujourd'hui » accrochées sur l'Assemblée nationale le 14 juillet 2003 en passant par l'Université du Mouvement en 2004, inlassablement nous continuerons à nous battre pour que la laïcité, l'égalité et la mixité vivent dans une République métissée.

Le destin nous a enlevé Samira Bellil, notre sœur, notre amie, notre étoile filante comme disait sa maman, Nadia. Je ne trouve pas les mots pour parler d'elle. Elle était rayonnante, généreuse. Elle était femme et nous manquera toujours. Elle restera vivante dans la mémoire de toutes et tous. Fière et rebelle, sa force nous guide.

Fadela Amara,
présidente du mouvement Ni Putes Ni Soumises,
Septembre 2004.

Annexes

Annexe 1

Lettre ouverte à Oriana Fallaci [1]

« Il y a des moments, dans la vie, où se taire devient une faute et parler une obligation. Un devoir civil, un défi moral, un impératif catégorique auquel on ne peut se soustraire. »

Je vous l'accorde, Madame Fallaci, et bien d'autres, avant vous, ont été saisis de cet impératif pour dénoncer l'oppression, l'horreur perpétrées contre l'humanité. De Martin Luther King à Gandhi, de Djaout à Mandela et De Gaulle à Roosevelt en passant par Anne Franck pour ne citer qu'eux, et combien d'anonymes aussi se sont levés pour combattre la régression et l'obscurantisme au nom de la Liberté. Beaucoup l'ont payé cher et souvent leur vie en fut le prix. Mais aucun n'aurait trahi l'idéal humaniste qui les habitait comme vous venez de le faire sans conteste.

Aussi, ne vous en déplaise, Madame, « la rage et l'orgueil » qui vous animent depuis l'horreur du 11 septembre, animent beaucoup d'entre nous, mais beaucoup d'entre nous ne se sont pas laissés aveugler par la colère au point de se trahir et renier la noblesse de ces convictions qui transportent l'humanité vers plus de lumière – Oh non ! Madame, plus jamais ça !

Sachez que comme vous, devant ma télévision, tétanisée par l'effroi des images morbides qui se succédaient, j'ai eu mal, très mal. Face à ces hommes et femmes qui se jetaient

1. Cette lettre a été publiée dans le numéro 72 (juillet-août 2002) de *Pote à Pote, le journal des quartiers*.

dans le vide pour s'échapper, moi aussi, inconsciemment mes bras se sont tendus pour les rattraper et n'ont étreint que ce vide écœurant. Mes cris de souffrance sont restés enfermés au fond de ma gorge pour ne laisser passer qu'un souffle d'air, un simple souffle de vie que désespérément je souhaitais insuffler dans ces bouches anonymes pour sauver ces corps abstraits, qui sont devenus dans l'horreur les miens.

Est-ce pour autant que le peuple américain, enfermé dans sa douleur que nous partageons, s'est laissé aller à commettre l'irréparable ? Non, forcément non ! Je m'incline devant ce courage et m'associe pleinement à la lutte contre le terrorisme.

Votre réquisitoire contre la civilisation arabo-musulmane transpire de haine et sciemment vous jetez l'opprobre sur l'ensemble d'hommes et de femmes issus de cette culture, pour mieux les assassiner de votre plume acerbe, lapidaire et arbitraire.

Injuste, forcément, injuste !

Dois-je vous rappeler, vous qui appartenez à cette sphère qui garde jalousement le pouvoir de faire ou défaire une opinion voire une réputation, que de tout temps et dans toutes les religions monothéistes, nous avons eu nos parenthèses malheureuses. Que dans chacune se sont trouvés des hommes qui, pour des raisons de pouvoir, se les sont appropriées et ont détourné les messages de tolérance et d'amour pour mieux asservir d'autres hommes, et ce dans la violence et dans le sang.

C'est vrai, j'oubliais vous êtes athée, ce que je respecte. Est-ce pour cela que vous affirmez que, pour vous, « les cathédrales sont plus belles que les synagogues et les mosquées ». Je suppose que ce jugement ne saurait être empreint de relent raciste et xénophobe. Peut-être ne s'agit-il là que d'esthétisme ? Me serais-je trompée ? Si c'est le cas, acceptez mes humbles excuses, Madame, j'avoue que l'ambiance générale qui se dégage de vos écrits m'amène à ce funeste constat, qui n'est définitivement pas à votre honneur.

Par ailleurs, il ne vous suffit pas de fustiger les « fils d'Allah », voilà que vous vous en prenez aussi aux étrangers d'Italie. Ce magnifique pays dont l'histoire grandiose appartient aussi à l'humanité. Vous êtes choquée par leur présence dans votre pays natal et les accusez de le souiller. Que dois-je penser de cette illustre journaliste, considérée et respectée dans le monde entier, connue pour sa lutte contre le fascisme, touchante quand elle parle de son père, ce père respectable et courageux dont elle est si fière et il y a de quoi. Que dois-je penser de cet illustre personnage qui est capable d'accoucher d'écrits sublimes et qui font autorité comme *Un Homme*, qui a marqué et marque encore les esprits éclairés. Que dois-je conclure, Madame, car c'est de vous qu'il s'agit, de ce même esprit qui accouche aujourd'hui de l'horreur, de l'insoutenable après l'avoir tant combattu.

Que s'est-il passé pour que vous deveniez l'instrument du mal, de ce même mal que vous dénoncez d'une façon si malhabile dans votre livre. Ce mal qui ronge ces terroristes et qui vous a atteint jusqu'à vous transformer et vous faire devenir un porte-parole de haine et d'intolérance.

Étrange, forcément, étrange !

N'attendez pas de moi de vous refaire visiter la richesse de la civilisation arabo-musulmane que vous vous aveuglez à nier, d'autres, experts en la matière, sauront le faire mieux que moi.

Par contre, je vous invite à m'accompagner dans mes réminiscences. J'ai souvenir que, dans mon enfance de fille d'immigré algérien issue cette « autre culture », les principes et la hiérarchie de valeurs dont m'ont dotée mes parents n'étaient pas en contradiction avec les valeurs laïques et républicaines que je défends tant aujourd'hui, comme tant d'autres. J'ai pour mémoire mon père qui, dans notre salon familial où il faisait sa prière, implorait Dieu pour la paix dans le monde et pour protéger ses enfants de la haine. J'ai pour mémoire qu'au nom de son Dieu il nous martelait toujours qu'il faut se respecter les uns et les autres, garder toujours l'esprit de tolérance qui vous fait tant défaut.

J'ai pour mémoire ces discours, quand nous étions douze à table, de respecter notre pays d'accueil, ses lois et ses valeurs qui sont devenues les nôtres depuis, grâce à ce père et à cette mère qui comme des milliers d'autres parents étrangers ont eu cette intelligence de nous les transmettre.

Beaucoup sont analphabètes et n'ont pas eu la chance comme vous et moi d'avoir accès au savoir. Pourtant, il me semble que ces milliers de « fils d'Allah », cette majorité silencieuse que vous avez condamnée sans appel, forcent le respect de ceux et celles qui possèdent la même essence d'intelligence et que, en ce qui vous concerne, il y a là matière à réflexion pour tirer « la leçon » qui vous évitera de devenir ce que vous avez combattu activement dans le passé.

Pour finir, j'ajouterai qu'en tant que citoyenne, issue de l'immigration maghrébine, de confession musulmane, je n'approuve guère ceux qui s'approprient l'horreur du 11 septembre pour parler du choc des civilisations, autorisant ainsi tous les dérapages dont votre livre est une belle illustration.

Nous sommes nombreux à nous battre contre ce que l'on appelle le « fascisme vert » et ce depuis longtemps. Omar Kayyam, que vous dénigrez, lui-même à son époque combattait les intégristes. Et s'il vivait aujourd'hui, il serait des nôtres pour condamner le terrorisme et lutter contre l'intolérance.

Nous sommes des hommes et des femmes, croyants ou non, épris de justice et de liberté, solidaires dans cet effroyable combat contre l'intégrisme sous toutes ses formes et d'où qu'il vienne.

Nous sommes animés par un idéal humaniste où chacun pourra vivre en harmonie avec son voisin, qu'il soit d'ici ou d'ailleurs.

Parce que nul n'est à l'abri et que c'est l'affaire de tous, je vous laisse vous et votre conscience.

Avec mon infinie tristesse, recevez Madame, mes meilleures salutations.

AMARA Fadela
Présidente de la Fédération nationale
des Maisons des Potes

Annexe 2

Appel national des femmes des quartiers

Ni Putes Ni Soumises !

Nous, femmes vivant dans les quartiers de banlieues, issues de toutes origines, croyantes ou non, lançons cet appel pour nos droits à la liberté et à l'émancipation. Oppressées socialement par une société qui nous enferme dans les ghettos où s'accumulent misère et exclusion.

Étouffées par le machisme des hommes de nos quartiers qui au nom d'une « tradition » nient nos droits les plus élémentaires.

Nous affirmons ici réunies pour les premiers « États Généraux des Femmes des Quartiers », notre volonté de conquérir nos droits, notre liberté, notre féminité. Nous refusons d'être contraintes au faux choix, d'être soumises au carcan des traditions ou vendre notre corps à la société marchande.

• Assez de leçons de morale : notre condition s'est dégradée. Les médias, les politiques n'ont rien fait pour nous ou si peu.

• Assez de misérabilisme. Marre qu'on parle à notre place, qu'on nous traite avec mépris.

- Assez de justifications de notre oppression au nom du droit à la différence et du respect de ceux qui nous imposent de baisser la tête.
- Assez de silence, dans les débats publics, sur les violences, la précarité, les discriminations.

Le mouvement féministe a déserté les quartiers. Il y a urgence et nous avons décidé d'agir.

Pour nous, la lutte contre le racisme, l'exclusion et celle pour notre liberté et notre émancipation sont un seul et même combat. Personne ne nous libérera de cette double oppression si ce n'est nous-mêmes.

Nous prenons la parole et lançons cet appel pour que dans chaque cité de France, nos sœurs, nos mères entendent ce cri de liberté et rejoignent notre combat pour mieux vivre dans nos quartiers.

Pour que nous soyons entendues : diffusez notre Appel le plus largement possible et participez à l'ensemble des initiatives féministes et antiracistes qui restent le cœur de notre combat !

Annexe 3

Le manifeste des femmes des quartiers

Ni Putes Ni Soumises, c'est maintenant et de cette manière !

Là où les hommes souffrent, les femmes portent ces souffrances. Marginalisation économique et discriminations ont constitué des ghettos où les citoyens ne se sentent pas égaux aux autres et les citoyennes encore moins. Nous sommes des femmes de ces quartiers qui avons décidé de ne plus nous taire face aux injustices que nous vivons, qui refusons qu'au nom d'une « tradition », d'une « religion », ou simplement d'une violence, nous soyons toujours condamnées à subir.

La vie de nos quartiers, des familles qui y vivent, des enfants et de leur avenir ne pourra évoluer sans que nous, les femmes, y retrouvions toute notre place, toute notre dignité.

Dénoncer le sexisme omniprésent, la violence verbale, physique, la sexualité interdite, le viol modernisé en « tournantes », le mariage forcé, la fratrie en gardien de l'honneur de la famille ou des quartiers en prison ; dénoncer tout cela pour ne plus céder à cette logique du ghetto qui nous enfermera définitivement tous dans la violence s'il n'y a pas de révolte.

À l'heure où chacun cherche une réponse à la violence qui mine notre société, nous voulons dire que le premier pas passe par notre libération et le respect de nos droits les plus élémentaires. Pouvoirs publics, médias, partis politiques ne voient et ne parlent de la banlieue qu'au masculin.

Nous n'apparaissons que de temps à autre, gentilles, réussissant bien à l'école ou à l'atelier cuisine qui prépare les repas de la fête de quartier. Silence sur nos vies, sur celles qui ont fugué, qui font le ménage du matin au soir, qui se cachent pour aimer ou se retrouvent maman à peine sorties de l'enfance.

Alors, nous avons décidé de ne plus attendre que cela aille de mal en pis, nous avons décidé d'agir, pour que la vie change pour nous, nos familles et nos quartiers. Parler sans tabou des choses que l'on cache aux autres sera difficilement accepté par certains.

À eux nous leur disons : comment pourriez-vous vaincre l'injustice, le racisme, la relégation, l'échec scolaire, la prison, si vous nous oppressez, vous aussi ?

Des millions de femmes dans les banlieues ne veulent plus de ce faux choix entre la soumission aux désordres du ghetto ou vendre son corps sur l'autel de sa survie.

Ni putes, ni soumises, simplement des femmes qui veulent vivre leur liberté pour apporter leur désir de justice.

Pour la mise en place d'une politique d'État volontariste afin de renforcer les valeurs républicaines et favoriser la paix sociale — Ouverture de structures permettant l'accès aux droits élémentaires :

- Droit à l'éducation sexuelle pour tous
  - — Connaissance du corps
  - — Les différents modes de contraception
  - — Information sur les MST
- Droit à l'éducation civique
  - — Apprentissage renforcé de la langue
  - — Cours d'éducation civique
  - — Permanences juridiques encadrées par des professionnels
  - — Connaissance des droits du citoyen

— Accès à l'information, l'orientation et le traitement, si besoin est

- Droit à la sécurité pour tous
  — Permanences d'accueil spécifique pour les victimes de harcèlement sexuel
  — Création de centres d'hébergement d'urgence pour les victimes de :
    - Violences morales, physiques (conjugales ou non)
    - Mariages forcés et polygames
  — Création de services d'accueil dans les commissariats en relation avec les structures d'aide aux femmes
  — Création d'un dispositif légal permettant aux services consulaires français à l'étranger de protéger et de rapatrier les citoyennes françaises ou étrangères vivant en France, mariées de force
  — Lutter contre toutes les sources qui alimentent les filières de prostitution (polygamie, filières clandestines, rupture familiale etc.)

Pour la reconnaissance des associations et en particulier des associations de femmes de quartier comme des acteurs à part entière de la démocratie locale et participative :

— Financements spécifiques et conséquents pour les différentes actions et la formation des cadres associatifs féminins

— Mise à disposition de locaux et de salles pour faciliter la pratique de la démocratie de proximité

Pour une politique de la ville en faveur de la mixité :

— Mise en place de projets mixtes

— Favoriser toute action visant à un meilleur accès à la culture et aux loisirs

— Une meilleure reconnaissance et représentativité des associations de femmes des quartiers dans les différents dispositifs d'État et des collectivités territoriales
— Favoriser toute initiative créant du lien entre le centre-ville et les quartiers

Pour une politique familiale qui permette d'alléger les contraintes quotidiennes pesant sur les femmes :
— Mise en place de nouvelles crèches
— Mise en place d'un dispositif qui allège le coût d'une place en crèche
— Améliorer et renforcer le dispositif de garde à la carte

Pour une politique de l'emploi volontariste :
— Favoriser une politique de lutte contre le travail précaire
— Renforcer le dispositif existant et faire appliquer systématiquement la loi contre toutes les formes de discrimination
— Application réelle et concrète des lois sur l'égalité professionnelle

Pour une politique éducative mixte et démocratique :
— Maintenir et renforcer le creuset français, et favoriser la mixité dans les établissements scolaires
— Améliorer les dispositifs d'orientation (choix des filières)
— Rendre attrayantes et accessibles les différentes filières jusque-là réservées aux garçons
— Lutter contre les filières « voie de garage » qui ne mènent qu'à des petits boulots ou au chômage

Table

Deuxième partie
Le sursaut salutaire :
la Marche et le succès rencontré

Annexes

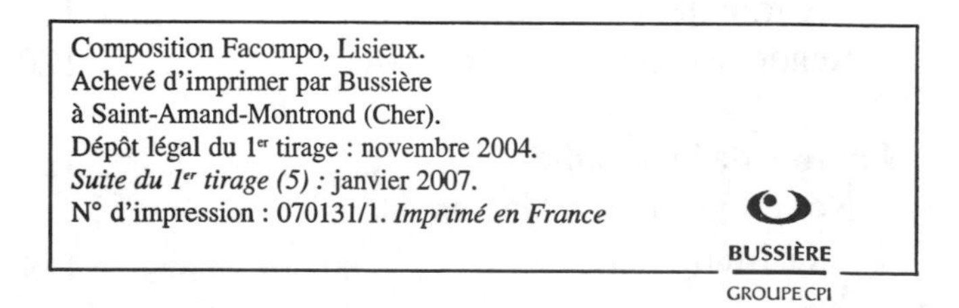
Composition Facompo, Lisieux.
Achevé d'imprimer par Bussière
à Saint-Amand-Montrond (Cher).
Dépôt légal du 1er tirage : novembre 2004.
Suite du 1er tirage (5) : janvier 2007.
N° d'impression : 070131/1. *Imprimé en France*
BUSSIÈRE
GROUPE CPI